Weihnachten entgegengehen

Weihnachten entgegengehen

Geistlicher Begleiter für jeden Tag der Advents- und Weihnachtszeit

Herausgegeben von
Alice Scherer

Herder
Freiburg · Basel · Wien

Umschlagabbildung: Weihnachten.
Hinterglasmalerei von Erich Horndasch nach einem rumänischen Hinterglasbild des 19. Jh. (Beuroner Kunstverlag)

Imprimatur. – Freiburg im Breisgau, den 8. September 1983
Der Generalvikar: Dr. Schlund
Herstellung: Freiburger Graphische Betriebe 1983
ISBN 3-451-19957-2

Inhalt

Vorwort

Adventskalender für Kinder gibt es schon lange, in verschiedener Ausführung, mehr oder weniger geschmackvoll gestaltet, oft leider nur auf den Tag der Bescherung hin ausgerichtet. Sie wollen den Kindern helfen, die Wochen bis zum Heiligen Abend hin, die ihnen oft so schrecklich lang erscheinen, leichter zu bestehen und aus der Erwartung selber schon ein kleines Fest zu machen. Jeden Tag dürfen sie ein Fensterchen oder Türchen der Kalenderwand aufmachen und finden etwas, das auf Weihnachten Bezug hat. Jeden Tag kommen sie so dem Heiligen Abend einen Schritt näher, bis sie schließlich am 24. Dezember das Bild eines Christbaums oder einer Krippe entdecken und selig wissen: „Heute!"

Auch uns Erwachsenen täte ein solcher „Adventskalender" gut. Freilich nicht, damit wir unsere Ungeduld, wie lange es denn noch bis Weihnachten dauere, leichter ertragen könnten – für uns ist die Zeit bis zum Heiligen Abend meist viel zu kurz. Es muß, das gilt zumal für die Mütter in den Familien, so viel geschafft werden, Geschenke ausgewählt, eingekauft, gebacken, gepackt, geputzt und geschrieben, daß wir manchmal die Hände über dem Kopf zusammenschlagen und stöhnen: „Wie sollen wir das nur bis Weihnachten alles schaffen!" Und zwischendurch merken wir erschreckt, daß wir drauf und dran sind, den eigentlichen Sinn von Weihnachten, um dessentwillen wir all diese Mühe auf uns nehmen, aus den Augen zu verlieren und damit die eigentliche, die innere Vorbereitung auf Weihnachten außer acht zu lassen.

Da möchte dieses Buch helfen, daß wir im wahrhaft christlichen Sinn „Weihnachten entgegengehen" können. Es möchte die dreifache Ankunft des Herrn vor uns aufleuchten lassen: Die Ankunft des Erlösers in der Zeit als Kind in der Krippe, die Ankunft des erhöhten Herrn in seiner Kirche und in unserem Herzen durch Wort und Sakrament, und seine Ankunft in Macht und Herrlichkeit am Ende der Zeiten. Die Liturgie, die für jeden Tag des Advents und der Weihnachtszeit ein besonderes Meßformular mit eigenen Lesungen und Gebeten anbietet, zeigt uns in abwechselnder Weise diese verschiedenen Aspekte. Aus der Tagesliturgie ist in diesem „Adventskalender" jeweils ein Satz, ein WORT GOTTES herausgestellt, das durch ausgewählte Texte erläutert und als WEGWEISUNG auf uns persönlich angewandt werden soll. Das sind sowohl (gekürzte) Lesungen aus den Kirchenvätern, wie sie heute noch im Stundengebet der Kirche (Brevier) vorgelegt werden, als auch Stellen aus geistlichen Schriftstellern von heute, die uns in moderner Sprache anrühren, für jeden Tag ein paar kurze Absätze. Den Abschluß bildet ein GEBET, das den Tagesgedanken zusammenfaßt.

Das Ganze steht auf zwei bis drei „Kalender"-Seiten, übersichtlich gegliedert und gut lesbar, und erfordert bei aufmerksamem Mitgehen etwa 15–20 Minuten Zeit. Vielleicht können wir es am Morgen vor Beginn der Tagesarbeit lesen, vielleicht aber auch, sicher Vielen zu empfehlen, am Abend, wenn die Arbeit getan ist, in den stillen Minuten vor dem Schlafengehen; dazu nehmen wir am besten den Text des kommenden Tages. Der eine oder andere Gedanke kann dann in der Ruhe der Nacht weiterwirken und beim Ewachen und vielleicht den Tag über dann und wann wieder bewußt werden. Und ähnlich mag es sein, wenn man am Morgen das Kalenderblatt des neuen Tages aufschlägt. Man wird erleben, wie eine größere und innigere Ruhe in alle seine Aufgaben einströmt. Und die Freude auf das eigentliche Weihnachten, auf das Kommen des Herrn, wird in uns wachsen.

Die Weihnachtsfreude beschränkt sich aber nicht auf einen Abend, auf ein oder zwei Feiertage. Die Liturgie stellt Heiligengestalten um die Krippe; sie führt in Ausfaltung des Weihnachtsgeheimnisses zu einem weiteren Höhepunkt, zum Fest der Erscheinung des Herrn, ein Fest, das leider, seine hohe Bedeutung verkürzend, vielfach nur als „Dreikönigsfest" gesehen wird. Unser Kalender bezieht daher auch die Tage nach Weihnachten und dieses Fest, mit dem der Weihnachtsfestkreis schließt, in seine Betrachtungen ein.

Alice Scherer

Erster Adventssonntag

WORT GOTTES

„Die Stunde ist gekommen, vom Schlaf aufzustehen. Jetzt ist das Heil uns näher als zu der Zeit, da wir gläubig wurden. Die Nacht ist vorgerückt, der Tag ist nahe." Röm 13, 11.12

WEGWEISUNG

Diese Zeit, die wir festlich begehen, ist, wie der Heilige Geist sagt, die rechte Zeit, der Tag des Heils, des Friedens und der Versöhnung. Es ist die von den Patriarchen und Propheten der Vorzeit voll Sehnsucht und Verlangen erwartete Zeit; mit übergroßer Freude hat Simeon sie erlebt; immer wieder wird sie von der Kirche feierlich begangen. So müssen auch wir diese Zeit immer wieder mit frommen Herzen feiern, mit Lob und Dank gegen den ewigen Vater, voll Freude über die Huld, die er uns in diesem Geheimnis erweist. Denn im Kommen seines Eingeborenen hat er in seiner unendlichen Liebe zu uns Sündern den gesandt, der uns von der Tyrannei Satans befreit; der uns zum Himmel ruft, uns in die himmlischen Wohnungen führt; der uns die Wahrheit selbst schenkt, uns ein Leben lehrt nach der Ordnung Gottes; der die Tugenden in unser Herz einpflanzt; der uns reich macht mit den Schätzen seiner Gnade und uns schließlich als seine Söhne und Erben annimmt.

Wenn die Kirche alljährlich dieses Geheimnis feiert, mahnt sie uns immer wieder neu, an die große Liebe Gottes zu denken, die uns zuteil geworden ist. Zugleich lehrt uns die Feier, daß das Kommen Christi nicht nur seinen Zeitgenossen zum Heil wurde, sondern, daß seine Gnadengaben uns allen bis auf den heutigen Tag geschenkt werden, sofern wir bereit sind, durch den heiligen Glauben und die Sakramente anzunehmen, was uns Christus verdient hat, und mit dieser Gnade unser Leben in Gehorsam gegen Christus zu ordnen.

Auch sollen wir nach dem Willen der Kirche wissen, daß Christus nicht nur das eine Mal in die Welt gekommen ist: Er ist bereit, zu jeder Stunde und in jedem Augenblick zu uns zu kommen und durch seinen Geist mit der Fülle seiner Gnaden in unserem Herzen zu wohnen. Nur müssen wir wegräumen, was in uns seinem Kommen im Weg ist. Karl Borromäus

Der Advent, den wir vier Wochen lang feiern, ist ein Vorspiel des großen Advents, in dem wir unser Leben lang stehen und der alles erfüllenden Ankunft entgegengehen.

Wir schauen auf eine gewisse Erfüllung zurück und schauen nach der Vollendung aus. Wir leben zwischen Erfüllung und Erfüllung. Es ist genug erfüllt, um unseren Glauben zu stärken, es ist noch offen genug, um die Hoffnung zu spannen. Der jährlich zu begehende Advent wird zur Einübung dieser Haltung der Erwartung und Hoffnung.

Es ist wahr und wir bekennen es dankbar: Gott selbst ist gekommen! Aber es ist auch wahr, daß sein „Kommen" noch nicht in der ganzen Verheißung erfüllt ist. Darum haben wir ja auch im Namen und mit den Worten des Gekommenen zu beten: „Dein Reich komme!" Wir leben zwischen Erfüllung und Erfüllung. Die Distanz zwischen beiden ist zuweilen leichter, zuweilen schwerer auszuhalten. Eugen Walter

Jetzt ist das Heil uns nahe." – Jetzt, jetzt, jetzt – nicht gestern, nicht vorhin; das ist vorbei. Jetzt, nicht morgen, dort bin ich noch nicht.

„Jetzt" ist es angeboten, geschieht es, ist die Fülle da, ich muß sie nur wahrnehmen. Jetzt bin ich gesehen, gerufen, gemeint, geliebt. Jetzt ist das große Geheimnis da, jetzt ist die Stunde des Heiles. Jetzt kann ich das Heiligste tun, den Willen Gottes, kann mit seinen Absichten eins werden. – Jetzt ist das ewige Leben da – jetzt kann ich es leben – in Küche, Werkstatt, Gefängnis, Krankenbett. Jetzt!

„Hier" muß ich leben. Nicht denken: Wenn ich dort wäre; ich bin nicht dort. Wenn ich hier weg wäre; ich bin nicht weg.

„Hier und jetzt" lebe ich ... In dieser einmaligen Situation heute. „Hier und jetzt" finde ich Gott – ich brauche nicht auf morgen zu warten. „Hier und jetzt" kann ich mit ihm verbunden sein, ihn anrufen, finde ich seinen Willen, kann ihn tun und mit ihm eins sein. „Hier und jetzt" finde ich die Ewigkeit.

Klemens Tilmann

Nun ist Gott von der Peripherie in die Mitte aufgebrochen, nun hat er sich ins Zentrum unseres Lebens erhoben. Und deswegen ist es *jetzt* unser Teil, von ihm auszugehen, von ihm her anzusetzen. Denk nicht mehr von dir her, plane nicht mehr von dir her, baue Gott nicht mehr ein in deine Pläne, sondern fang an bei ihm, lebe von ihm her, laß ihm dein erstes Wort, bemiß an ihm dein Erwarten, Denken und Tun! ... Gott, nicht mehr Horizont unseres Lebens, sondern Zentrum unseres Lebens, das bedeutet Abschied von uns selbst.

Neuer Anfang muß stattfinden, sonst fängt Christsein nicht an, sonst geht Glaube nicht. Glauben heißt so leben, daß dieses Leben keinen Sinn hätte, wenn es Gott nicht gäbe, wenn Gott uns nicht den neuen Anfang schenkte.

Umkehren und dem Evangelium glauben heißt – dies ist nur eine andere Weise, dasselbe nochmals zu sagen: damit anfangen, daß Gott anfängt, das Anfangen Gottes mittun, seinem Wort, seiner Zusage, seinem Handeln den Vorrang einräumen und auf sein Wort und seinen Anfang hin das Leben neu leben.

Klaus Hemmerle

GEBET

Herr, unser Gott,
alles steht in deiner Macht;
Du schenkst das Wollen und das Vollbringen.
Hilf uns, daß wir auf dem Weg der Gerechtigkeit
Christus entgegengehen.
Und uns durch Taten der Liebe
auf seine Ankunft vorbereiten,
damit wir den Platz zu seiner Rechten erhalten,
wenn er wieder kommt in Herrlichkeit.

Tagesgebet

Montag
der ersten Adventswoche

WORT GOTTES

„Ihr Völker, hört das Wort des Herrn und verkündet es in aller Welt. Seht, euer Gott wird kommen und euch erretten."

vgl. Jer 31, 10

WEGWEISUNG

„Seht, euer Gott wird kommen ..." Das ist eine Botschaft voll Liebe und Ernst, aber auch voll Freude und Herrlichkeit. Wir müssen sie ganz wirklich nehmen. Die Kirche steht wirklich im Advent. Es handelt sich nicht nur um eine Erinnerung oder Stimmung ... Die Weihnachtsgeschichte von dem Kommen Gottes in Verborgenheit, Armut und Schwachheit geschieht in Wirklichkeit durch die ganze Geschichte hindurch, damals dort und heute und hier bei uns und immer wieder. Gott kommt in Liebe zu den Menschen – aber in Schwachheit und Verborgenheit ... Und davon, wie wir dem verborgenen Gott begegnen, hängt es ab, was dann offenbar wird, nachdem er kommt in Macht und Herrlichkeit.

Für uns darf es jetzt und in den kommenden Wochen nichts Wichtigeres geben als das Kommen des Herrn. Tief innen müssen wir uns einen Raum freihalten. Wir dürfen uns von allem anderen nicht ganz ausfüllen lassen, vor allem nicht von den sogenannten Weihnachtssorgen. Trotz allem Zeitmangel ist doch niemand unter uns, der sich nicht fünf Minuten frei machen könnte. Und diese fünf Minuten soll er nehmen, um einmal am Tage herauszutreten aus Hast und Lärm, versuchen, einmal am Tage etwas in die Stille und die Erwartung zu kommen. Wir müssen in der Erwartung stehen, daß etwas Großes geschieht, bei dem wir aber nicht nur Zuschauer sind, sondern selber Teilnehmer.

Theo Gunkel

Die adventliche Erwartung ist im Ereignis der Menschwerdung Gottes verankert. Je mehr ich mich von dem, was in der Vergangenheit geschehen ist, anrühren lasse, desto mehr komme ich auch mit dem in Berührung, was noch kommen wird. Das Evangelium erinnert mich nicht nur an das, was einmal war, sondern zugleich an das, was geschehen wird. Wenn ich das erste Kommen Christi betrachte, kann ich die Zeichen seines zweiten Kommens entdecken. Wenn ich meditierend zurückschaue, kann ich hoffnungsvoll in die Zukunft blicken.

Ich bete darum, der Advent möge mir Gelegenheit bieten, meine Erinnerungen an Gottes Großtaten gründlich aufzufrischen, und mich innerlich so frei machen, daß ich mutig der Vollendung der Zeit durch den, der gekommen ist und immer noch kommt, entgegenblicke. Henri J. M. Nouwen

Advent heißt Ankunft, Ankunft des Herrn. In der Liturgie wird in eigentümlicher Zusammenschau eine dreifache Ankunft Christi erkennbar: Eine schon geschehene, nämlich das geschichtliche Kommen Jesu durch das sich die Erwartung früherer Zeiten, die Vorausschau der Propheten erfüllt hat; dann ein noch ausstehendes Kommen Jesu Christi am Ende der Zeiten, also ein immer in der Erwartung bleibendes Kommen; schließlich ein gegenwärtiges Kommen, ein geistig-gnadenhaftes Kommen, das der Erwartung Grund und Antrieb gibt. In der meditativen Besinnung, in der eucharistischen Begegnung, in der Feier der Gemeinde erfahren wir immer neu die Spannung von Erfüllung und Erwartung. Rudolf Schnackenburg

GEBET

Zu dir, Herr, erhebe ich meine Seele.
Mein Gott, auf dich vertraue ich.

Laß mich nicht scheitern,
laß meine Feinde nicht triumphieren!

Zeig mir, Herr, deine Wege,
lehre mich deine Pfade! aus Psalm 25

Dienstag
der ersten Adventswoche

WORT GOTTES

„Wohl denen, deren Augen sehen, was ihr seht. Denn viele Propheten und Könige wollten sehen, was ihr seht, und haben es nicht gesehen, und wollten hören, was ihr hört, und haben es nicht gehört.“ Lk 10,23–24

WEGWEISUNG

Gottes Ankunft geschieht zu seiner Zeit, der Trost seiner Gegenwart, aber auch das Gericht seiner Gegenwart geschieht unerwartet, unberechenbar, unversehens. Und das bedeutet, daß wir mit allen Kräften achtgeben müssen, ob er denn am Ende nicht schon nahe ist. Aber wer achtet darauf gespannt, damit er seine Zeichen, die Zeichen seiner nahen Gegenwart, nicht übersehe? Der, dessen Verlangen nach ihm und seiner Gerechtigkeit unermüdlich ausschaut, und sie zu uns holen will.

Die Situation der Welt und in ihr der Kirche hat sich eigentümlich scharf zugespitzt. Eigentlich spricht alles gegen unsere Erhörung: Die armen, entleerten Herzen, die erschlafften Gewissen, Ungerechtigkeit, der anmaßende Gesamtgeist unserer Tage, der sich selbst verehrt, das alles und anderes mehr spricht dagegen, daß Gott auf unsere Bitten eingeht und sich aufmacht, wieder zu uns zu kommen. Aber eines spricht dafür: Jesu Wort, das ja unberührt von all dem die Jünger tröstet: „Ich sage euch: er wird ihnen Recht verschaffen ohne Verzug.“ Wir haben zu wählen, wem wir glauben: dem, was man sagt und was wir selbst fürchten, oder dem Wort Jesu. Sollen wir nachgeben: Gott, Gottes Gegenwart, die Gerechtigkeit seiner Gegenwart, die unser Recht ist, all das sind Illusionen, oder sollen wir ihm betend verharren: Komm, oh komm, Emmanuel? Sollen wir glauben? Heinrich Schlier

Was geschieht, wenn ich mich ernstlich auf diesen entgegenkommenden Gott einlasse? Ich muß damit rechnen, daß ich nicht nur Seelentrost bekomme, sondern, daß nun das Abenteuer meines Lebens erst recht beginnt. Wenn ich nämlich im Glauben zu erfassen beginne, daß Gott mich ganz persönlich meint, dann erfahre ich: Er ruft mich in meine Identität. Er ruft mich bei meinem Namen. Du!

Es ist nicht so als ob dann alles andere problemlos würde; aber ich habe für mein Leben einen Orientierungspunkt gefunden, der durchhält bis zum Letzten, sogar bis über den Tod hinaus. Mich auf den in Christus entgegenkommenden Gott einlassen, das heißt auch, daß ich mich mit meiner Unruhe, meinen Grenzen, auch mit meiner Sündhaftigkeit Christus übereigne, ihm, dem Adler, der mir das Fliegen beibringen will. Er lockt mich aus der vielfältigen Verengung heraus, in die ich mich hineinmanövriert habe.

Ich darf nicht erwarten, daß ein solcher Prozeß reibungslos abläuft. Wie der junge Adler das Fliegen lernt, so wird es auch bei mir ein beträchtliches und zuweilen aufregendes Auf- und Abgeben, Verzweiflung und Seligkeit. Dieser entgegenkommende Gott nimmt die Menschen, die sich auf ihn einlassen, zuweilen hart her.

Wer sich ernstlich auf das Entgegenkommen Gottes einlassen will, muß sich darauf gefaßt machen, daß dies Leiden mit sich bringt. Wer das Abenteuer wagt, zu dem uns die Leidenschaft Gottes verführen will, muß damit rechnen, daß diese Leidenschaft auch Leiden schafft. Aber er darf auch damit rechnen, daß er an seinem eigenen Leib erfährt, was Führung durch Gott meint, was Paulus im Römerbrief sagt: „Denen, die Gott lieben, gereichen alle Dinge zum Besten!"

Adolf Exeler

GEBET

Als wir verloren waren, Gott, hast du uns begnadigt,
als wir fremd und weit weg waren, hast du uns gerufen.
Da wir nun ganz nahegekommen sind,
nimm uns jetzt an, wer wir auch sind,
und mache mit uns, was dein Herz dir eingibt.

Huub Oosterhuis

Mittwoch
der ersten Adventswoche

WORT GOTTES

„An jenem Tage wird man sagen: Seht unser Gott. Von ihm erhoffen wir unsere Rettung. Das ist der Herr, auf den wir hoffen."

Jes 25,9

WEGWEISUNG

Jetzt ist die Zeit, liebe Brüder, das Erbarmen und die Huld Gottes zu besingen. Denn es ist Advent des Herrn, der war und der kommen wird, des Allmächtigen. Warum kommt er? Damit jene, die ihn nicht kannten, erkennen; die nicht glaubten, glauben; die ohne Gottesfurcht waren, Gott fürchten; die nicht liebten, lieben. So kam er, der seinem göttlichen Wesen nach schon da war, nun mit seiner Huld, damit er als Mensch erkannt, als Gott geglaubt, als Mächtiger gefürchtet, als Gütiger geliebt werde. In unsrer Schwachheit erschien er als Mensch, in seinen Wundern als Gott; mächtig, wenn er die Dämonen beherrscht; gütig und barmherzig, wenn er die Sünder aufnimmt; menschlich war sein Hungern, göttlich die Vermehrung der Brote; menschlich sein Schlaf im Fischerboot, göttlich sein Befehl an das Meer. Da deine Güte bei deinem ersten Kommen so groß war, will ich dir singen, Herr. Erbarmen war es, daß du Mensch wurdest, unsre Schwäche auf dich nahmst ... Alles entströmte dem Quell deiner Barmherzigkeit.

Aelred von Rievaulx

Den innersten Sinn der Adventszeit wird nicht verstehen, wer nicht vorher zu Tode erschrocken ist über sich selbst und seine menschlichen Möglichkeiten und die Lage und Verfassung des Menschen überhaupt.

Diese ganze Botschaft vom kommenden Gott, von Tagen des Heils, von einer nahenden Erlösung wird nur dann nicht göttliche Spielerei oder menschliche Gemütsdichtung, wenn ihnen ein zweifacher klarer Sachverhalt zu Grunde liegt.

Der erste Sachverhalt: Einsicht in und Erschrecken über die Ohnmacht und Vergeblichkeit des menschlichen Lebens hinsichtlich einer letzten Sinngebung und Erfüllung.

Der zweite Sachverhalt: Die Zusage Gottes, sich auf unsere Seite zu begeben, uns entgegenzukommen.

Daraus aber ergibt sich, daß die Grundverfassung des Lebens immer adventlich ist: Grenze und Hunger und Durst und Unerfülltheit und Verheißung und Bewegung aufeinander zu. Das heißt aber, im Grunde bleibt der Mensch ungeborgen und unterwegs und offen bis zur letzten Begegnung. Mit aller demütigen Seligkeit und schmerzhaften Beglückung dieser Offenheit.

Dieser Wahrheit sind die Verheißungen gegeben und nicht der Anmaßung und der Einbildung. Aber dieser Wahrheit sind wirklich Verheißungen gegeben, auf die man sich verlassen soll und kann.

Das ist das eigentliche Thema des Lebens. Alles andere ist nur Äußerung, Ergebnis, Anwendung, Folge, Bewährung, Einübung. Gott helfe uns zu uns selbst und so von uns weg zu sich hin.

Alfred Delp

GEBET

Rüttle unsre Herzen auf, allmächtiger Gott,
damit wir deinem Sohn den Weg bereiten
und durch seine Ankunft fähig werden,
dir in aufrichtiger Gesinnung zu dienen.

Tagesgebet

Donnerstag
in der ersten Adventswoche

WORT GOTTES

„Nicht jeder, der zu mir sagt: Herr, Herr!, wird in das Himmelreich kommen, sondern nur, wer den Willen meines Vaters im Himmel tut." Mt 7,21

WEGWEISUNG

Wenn wir untersuchen, worin die Erfüllung des göttlichen Willens hier auf Erden liegt, so finden wir die Erfüllung des göttlichen Heilsplanes. Jesus sagt aber auch: „Wenn ihr mich liebt, werdet ihr meine Gebote halten." Unter der Erfüllung der Gebote versteht Jesus aber nicht nur das Festhalten an den zehn Verboten („Du sollst nicht ..."), sondern etwas ganz Positives: In der Liebe die Menschen für die Liebe erobern.

Das Wesentliche in der Erfüllung des Willens Gottes liegt darin: überall offen und bereit zu sein, wo Gottes Wille uns entgegentritt.

Hier müßte unsere Gewissenserforschung ansetzen: Bin ich so frei vor Gott, daß Er kommen kann? Oder bin ich den Dingen, den Menschen verfallen? Mit den Sorgen bis zum Letzten ausgefüllt? Steht für mich der Wille des Vaters obenan? Bin ich hellhörig für den Anruf des Vaters im Mitmenschen? Bin ich wach und bereit zum Guten? Habe ich Gottes Willen im alltäglichen Beruf erfüllt? Habe ich mein tägliches Werk als Auftrag des Vaters gesehen und getan? Josef Gülden

Nachfolge heißt leben auf Jesu Wort hin und deswegen leben mit Jesu Wort. Gottes Wort muß uns wirklich das Leitseil unseres Weges werden, an dem wir uns Tag für Tag entlangtasten. Es muß das Alphabet werden, mit dem wir unser Leben und seine Situationen durchbuchstabieren. Uns ist dieses Wort gesagt, in unserem Leben will es neu Fleisch werden.

Es gibt keine bloß partielle und keine bloß regionale und keine bloß kategoriale oder territoriale Nachfolge Christi, sondern nur die totale Nachfolge. Wo wir einen Bezirk aussparen, den wir Gott nicht öffnen, den wir in den Lebensrhythmus der Nachfolge Jesu nicht hineingeben, da ist Gott nicht unser Gott, da sind wir nicht auf dem Weg, da ist das bewegende oder gerade nicht bewegende Zentrum unserer Welt nicht er, sondern unser Wille, unser Mögen und Meinen.

Entscheidung für Gott ist Entscheidung für Jesus. Leben mit ihm ist Leben im Augenblick; es gibt einen konkreten Willen Gottes für jeden Augenblick. Dieses Leben im Augenblick ist Leben auf sein Wort hin, ein Leben, Millimeter für Millimeter aus seinem Wort gestaltet. Es ist ein Leben in der beständigen Gemeinschaft mit Jesus und deswegen im beständigen Weitergehen und Weitertragen seines Weges in die Welt. So geht Nachfolge.

Klaus Hemmerle

GEBET

Herr, weise mir den Weg deiner Gesetze!
Ich will ihn einhalten bis ans Ende.

Gib mir Einsicht, damit ich deiner Weisung folge
und mich an sie halte aus ganzem Herzen.

Öffne mir die Augen,
das Wunderbare an deiner Weisung zu schauen.

Deinen Willen zu tun, mein Gott, macht mir Freude,
deine Weisung trag' ich im Herzen.

Ich eile voran auf dem Weg deiner Gebote,
denn mein Herz machst du weit.

aus Psalm 119

Freitag
der erten Adventswoche

WORT GOTTES

„Tauet, ihr Himmel, von oben! Ihr Wolken, regnet herab den Gerechten! Tu dich auf, o Erde, und sprosse den Heiland hervor!"
vgl. Jes 45, 8

WEGWEISUNG

Ich habe diesen wunderbaren Vers ständig vor mich hergesungen: „Rorate, coeli, desuper, et nubes pluant iustum – Tauet, ihr Himmel, von oben!", und die eindrucksvolle Antwort: „Es öffne sich die Erde und sprosse den Heiland hervor." Gottes Gnade ist wirklich wie ein sanfter Morgentau und wie ein weicher Regen, der der ausgedorrten Erde neues Leben schenkt. Bilder der Güte! Tatsächlich besteht meine Berufung darin, immer empfänglicher für den Morgentau zu werden und meine Seele dem Regen zu öffnen, so daß mein innerstes Wesen den Heiland hervorbringen kann.
Henri J. M. Nouwen

Du, Mensch, du brauchst keine Meere zu überqueren, keine Wolken zu durchdringen oder die Alpen zu überschreiten. Du brauchst keinen weiten Weg zu machen, sage ich. Geh deinem Gott entgegen bis zu dir selbst. Denn das Wort ist dir nahe, es ist in deinem Mund und in deinem Herzen. Geh ihm entgegen bis zur Reue des Herzens und zum Bekenntnis des Mundes, damit du aus dem Unrat deines beklagenswerten Gewissens herauskommst. Denn der Urheber der Reinheit sollte dort nicht eintreten müssen.
Bernhard von Clairvaux

Hier begegnen uns Menschen, die genau *unsere* Fragen stellen. Menschen, die sich mit den ungelösten Rätseln ihres Lebens herumschlagen mußten wie wir, die verzweifelt und ratlos waren, wie wir es oft sind. Menschen, die die Dunkelheit des Glaubens erfahren haben wie viele Menschen heute. Menschen, die ihre ganze Not herausgeschrien haben: Gott, warum schweigst du, warum läßt du uns allein? Warum merken wir deine Nähe nicht? Auf alle diese Fragen wußten sie keine Antwort, und doch hielten sie mit dem Mut der Verzweiflung an ihrem Gott fest.

Unsere christliche Adventsfeier ist nicht nur Erinnerung daran, daß die Menschen damals, vor Christus, in der Not ihres Lebens Ausschau hielten nach einem, der hilft, nach einem, der ihrem Leben Sinn und Richtung gibt. Der Advent erinnert uns daran, daß auch wir noch warten, daß auch wir auf dem Wege sind, auf einem Weg, der oft dunkel ist und schwer, auf dem wir oft so einsam und ratlos sind, auf dem wir oft nicht mehr weiterwissen.

Doch dürfen wir als glaubende Christen auch wissen: Auf diesem unserem Weg sind wir nicht allein. Denn seit Jesus in unsere Welt kam, dürfen wir Hoffnung haben.

Franz Josef Ortkemper

GEBET

O Heiland, reiß die Himmel auf,
herab, herab vom Himmel lauf.
Reiß ab vom Himmel Tor und Tür,
reiß ab, wo Schloss und Riegel für.

O Gott, ein' Tau vom Himmel giess,
im Tau herab, o Heiland, fliess.
Ihr Wolken, brecht und regnet aus
den König über Jakobs Haus.

O Erd, schlag aus, schlag aus, o Erd,
daß Berg und Tal grün alles werd.
O Erd, herfür dies Blümlein bring,
o Heiland, aus der Erden spring.

Friedrich Spee

Samstag
der ersten Adventswoche

WORT GOTTES

„Als er die Scharen von Menschen sah, hatte er Mitleid mit ihnen; denn sie waren müde und erschöpft wie Schafe, die keinen Hirten haben. Dann rief er seine 12 Jünger zu sich: Geht und predigt: Das Himmelreich ist nahe gekommen."

Mt 9,36; 10,7

WEGWEISUNG

Der Sohn Gottes, der eher war als alle Zeit, der Unsichtbare, der Unermeßliche und Unkörperliche, der Ursprung aus dem Ursprung, das Licht vom Licht, der Quell des Lebens und der Unsterblichkeit, das Abbild vom Urbild, das unabänderliche Siegel, das in allem getreue Ebenbild des Vaters, er, das Wort, in dem der Vater sich ganz ausspricht – er steigt herab zu seinem Bild. Um des Fleisches willen nimmt er Fleisch an; um meiner Seele willen verbindet er sich mit einer vernunftbegabten Seele, um gleiche Art durch gleiche Art zu reinigen. Alles Menschliche nimmt er an, ausgenommen die Sünde.

Er, der andere reich macht, wird selbst ein Bettler; denn die Armut meines Fleisches nimmt er auf sich, damit ich den Reichtum seiner Gottheit empfange. Er, der die Fülle besitzt, gibt diese Fülle preis; denn auf kurze Zeit entäußert er sich seiner Herrlichkeit, damit ich seines vollen Glanzes teilhaftig werde. Welch überreiche Güte! Welch ein Heilsgeheimnis um meinetwillen! Ich hatte das Bild Gottes empfangen, aber es nicht bewahrt. Er nimmt mein Fleisch an, um dem Bild das Heil, dem Fleisch die Unsterblichkeit zu bringen; zum zweitenmal geht er die Gemeinschaft mit uns ein, weit wunderbarer als das erstemal.

Dadurch, daß Gott die Menschheit annahm, sollte der

Mensch geheiligt werden. So wollte Gott die Macht des Tyrannen überwältigen und uns befreien und uns zu sich zurückführen durch seinen Sohn, den Mittler.

Er hat sein Leben eingesetzt für die Schafe, kam als guter Hirt zu dem verirrten Schaf; er fand das verirrte Schaf und nahm es auf dieselben Schultern, auf denen er das Holz des Kreuzes trug; er nahm das Schaf und führte es zum ewigen Leben.

Gregor von Nazianz

GEBET

Laßt uns hinknien und um den dreifachen Adventssegen
und die dreifache Weihe des Advents bitten.

Laßt uns bitten um die Offenheit und Willigkeit,
die Mahnboten des Herrn zu hören,
und durch die Umkehr der Herzen
die Verwüstung des Lebens überwinden.

Laßt uns hinknien und bitten um die hellen Augen,
die fähig sind, Gottes kündende Boten zu sehen,
um die wachen Herzen, die kundig sind,
die Worte der Verheißung zu vernehmen.
Laßt uns selbst tröstender Bote sein.

Und noch einmal wollen wir knien und bitten
um den Glauben an die mütterliche Weihe des Lebens
in der Gestalt der gesegneten Frau von Nazareth.

Laßt uns geduldig sein und warten auf die Stunde,
in der es dem Herrn gefällt,
auch in dieser Nacht als Frucht und Geheimnis dieser Zeit
neu zu erscheinen.

Alfred Delp

Zweiter Adventssonntag

WORT GOTTES

„Der Tag des Herrn wird kommen wie ein Dieb. – Wie heilig und gottesfürchtig müßt ihr leben, den Tag Gottes erwarten und seine Ankunft beschleunigen!" 2 Petr 3, 10.11

WEGWEISUNG

Kennt ihr wohl aus der Erfahrung dieses Lebens das Gefühl, das ihr hegt, wenn ihr auf einen Freund wartet, auf seine Ankunft, und er zögert: Wißt ihr, was es heißt, in Angst zu sein, es könne etwas eintreten, das kommen kann oder nicht, oder in Spannung sein auf ein wichtiges Ereignis, das das Herz schon beim bloßen Gedanken daran schneller schlagen läßt und das euer erster Gedanke am Morgen ist: Wißt ihr, was es heißt, einen Freund in einem fernen Land zu haben, von ihm Nachrichten zu erwarten und Tag für Tag darauf gespannt zu sein.

Für Christus wach sein ist ein Gefühl wie alle diese, soweit Gefühle dieser Welt imstande sind, die einer anderen Welt widerzuspiegeln. Der ist wach für Christus, der ein empfindendes, sehnsüchtiges und fühlendes Herz besitzt; der wach, lebendig, hellsichtig, eifrig darauf bedacht ist, Ihn zu suchen und zu ehren, der in allem, was geschieht, nach Ihm ausschaut und nicht überrascht, nicht über-erregt oder überwältigt wäre, wenn er entdeckte, daß er plötzlich käme.

Und der wacht mit Christus, der in die Zukunft, zugleich aber auch in die Vergangenheit blickt, der bei der Betrachtung dessen, was sein Erlöser für ihn erwarb, nicht vergißt, was Er für ihn gelitten hat.

Das also heißt wachen: vom Gegenwärtigen losgelöst sein und im Unsichtbaren leben: im Gedanken an Christus leben, wie er einst kam und wie er wiederkommen wird: nach seiner zweiten Ankunft verlangen in liebevollen und dankbaren Gedanken an seine erste. John Henry Newman

Für die Christen hat der „Tag des Herrn" in gewisser Weise schon begonnen. Denn der Herr, der da kommen wird, ist schon „nahe" gekommen, und sie stehen schon in seinem Licht. Das Licht der Wahrheit, in dem einmal alles offenbar und entschieden wird, dringt schon herein durch des Herrn lichtende Nähe.

Für sie ist es schon hell geworden im Morgendämmer des nahen Tages des Herrn. „Die Nacht ist vorgerückt, der Tag ist nahe", heißt es Röm 13, 12. Er ist, wie wir hörten, aufgeleuchtet im Licht des Evangeliums, dem „Wort", das „nahe ist". Er ist für uns angebrochen in der Erleuchtung der Taufe, die unserem Leben seine Aussicht eröffnet. Er gibt sein Zeichen am Tisch des Herrn. Durch all das leben wir schon im Morgenlicht der Wahrheit, daß Gott Gott ist und nicht der Welt-Geist, daß er der Gott ist, der in Jesus Christus uns versöhnend und vergeltend auf sich genommen und aus Erbarmen angenommen hat, der uns am Kreuz Christi trägt und durch seine Auferstehung im Leben geborgen hält. Und durch all das leben wir im Licht der Wahrheit, daß sich dies zum Heil enthüllen und erfüllen wird, wenn der nahe Tag hereinbricht und die letzte Entscheidung bringt. Heinrich Schlier

Unser Christsein hat oft schrecklich wenig von der Frische des Abenteuerlichen an sich; oft macht es eher den Eindruck eines beruhigenden Psychopharmakons oder aber den Eindruck eines neurotisierten Querulantenhaufens, in dem alle Beteiligten ständig damit beschäftigt sind, sich aneinander wund zu reiben, als den Eindruck einer wirklich lebendigen Bewegung. Wenn das so ist, könnte das vielleicht daran liegen, daß wir die Bitte um die Ankunft Jesu Christi in unserer Kirche und in unserem eigenen Leben ernstlich noch gar nicht gewagt haben? Wo er wirklich in einer Gemeinde ankommt, wo er wirklich in einem Menschenleben ankommt, da ändert sich einiges. Da wird Enge gesprengt, da hat Mickrigkeit ein Ende, da kommt ein Prozeß in Gang, der unabsehbar ist. In dem Adventslied „O Heiland, reiß die Himmel auf!" kommt die Bitte vor: „Reiß ab, wo Schloß und Riegel vor!" Ich möchte diese Bitte so verstehen: „Herr, mache deine Kirche durchlässig für deine Ankunft. Reiß die Hindernisse weg, die deinem Ankommen im Wege stehen! Erneuere deine Kirche, das heißt: auch uns!"

Adolf Exeler

GEBET

Gott, du mein Gott, dich suche ich,
meine Seele dürstet nach dir.

Nach dir schmachtet mein Leib
wie dürres, lechzendes Land ohne Wasser.

So blicke ich im Heiligtum nach dir,
zu schauen deine Macht und Herrlichkeit.

Ich denke an dich auf nächtlichem Lager,
sinne über dich nach, wenn ich wache.

Meine Seele hängt an dir,
deine rechte Hand hält mich fest.

aus Psalm 63

8. Dezember
Maria Immaculata

WORT GOTTES

„Der Engel trat bei ihr ein und sagte: Sei gegrüßt, du Begnadete, der Herr ist mit dir. Fürchte dich nicht, Maria: denn du hast vor Gott Gnade gefunden.“ Lk 1,28.30

WEGWEISUNG

An diesem Hochfest scheint die stille Freude des Advents plötzlich in überschwenglichem Jubel auszubrechen. In Maria ist alle Schönheit des Advents zusammengefaßt. Sie ist diejenige, in der das Harren Israels am vollkommensten und reinsten offenbar geworden ist. Sie ist die Erwählte aus dem Rest Israels, dem Gott seine Gnade erweist und an dem er seine Verheißungen erfüllt. Sie ist die treue Magd, die geglaubt hat, daß in Erfüllung gehen wird, was ihr vom Herrn verheißen worden ist. Sie ist die demütige Magd, die gehorsame Dienerin. Sie ist am besten dafür bereitet, den Herrn zu empfangen.

Henri J. M. Nouwen

In uns lebt eine oft verborgene Sehnsucht nach dem Glanz des vollen und reinen Lebens. Wir sind immer auf der Suche danach, wir wünschen es uns, für unser eigenes Herz und auch für den Gang der Welt.

Von Maria aber denken wir im Raume der Kirche, daß von ihr der alte, dunkle Schatten, der über der Menschengeschichte liegt und den wir Erbsünde nennen, weggenommen wurde. Und daß sie durch Gottes Geschenk, das ihr durch ihren Sohn Jesus zukam, ein ganz reiner und lauterer Mensch sein durfte. Und so darf man also in ihrem Bilde etwas vom reinen und unbefleckten, vom ganz erlösten Menschentum anschauen.

Das Bild der unbefleckten Frau sagt: Der lautere Glanz des reinen Lebens ist zuerst ein Geschenk. Man kann diesen Glanz nicht einfach programmieren und konstruieren. Er ist das Geschenk des erlösten Lebens, bereitet durch Jesus und verheißen für alle, die sich ihm und seiner Botschaft öffnen, für die, die auf das Wort Jesu hin an das Gottesreich glauben und im Glauben Jesus nachzufolgen bereit sind.

Wer sich ganz an Gott hingibt und sein armes und gewiß nie ganz reines Herz im Namen Jesu dem Vater anvertraut und dann nicht allzusehr auf sich blickt, dem wird am ehesten etwas vom Glanz des reinen und vollen Lebens geschenkt werden können inmitten einer unreinen Welt.

Wenn das reine und unbefleckte Leben zuerst ein Geschenk ist, dann heißt dies aber gewiß nicht, daß man im Zuge dieses Geschenkes nicht auch selber etwas zu tun und etwas einzusetzen hätte, um das Geschenk auf menschliche Weise zu bewahren und zu entfalten. Auch Maria, deren Leben auf eine besondere Weise ganz beschenkt war, hatte vieles einzusetzen und vieles zu bestehen mit ihren menschlichen Kräften und ihrem menschlichen Herzen. Es wird bei uns auch so sein. Wenn der Glanz der Gnade ein Geschenk ist, so kann dies doch nicht heißen, daß wir im Glauben daran träge sein sollten.

Das Geschenk des reinen Lebens leuchtet am schönsten und am bewundernswertesten, wenn in ihm die göttliche Gabe und die menschliche Lebendigkeit und Treue eins geworden sind.

Bernhard Welte

GEBET

O Mutter der Menschen und Völker, die Du „alle ihre Leiden und Hoffnungen kennst" und mit mütterlichem Herzen an allen Kämpfen zwischen Gut und Böse, zwischen Licht und Finsternis Anteil nimmst, die unsere heutige Welt erschüttern, höre unser Rufen und umfange mit Deiner mütterlichen und dienenden Liebe diese unsere Welt, die wir Dir anvertrauen und weihen, erfüllt von Sorge um das irdische Heil der Menschen und Völker.

Vor Dir, Mutter Christi, vor Deinem unbefleckten Herzen, möchte ich mich heute zusammen mit der ganzen Kirche unserem Erlöser verbinden.

O unbeflecktes Herz, hilf uns, die Gefahr des Bösen zu überwinden, das sich so leicht in den Herzen der heutigen Menschen einnistet und dessen unvorstellbare Auswirkungen über unserer Gegenwart lasten und den Weg in die Zukunft zu versperren scheinen.

Von Hunger und Krieg: befreie uns!

Von Atomkrieg, unkontrollierbarer Selbstzerstörung und jeder Art des Krieges: befreie uns!

Von den Sünden gegen das Leben des Menschen von seinen Anfängen an: befreie uns!

Von jeder Ungerechtigkeit im sozialen, nationalen und internationalen Leben: befreie uns!

Von leichtfertiger Übertretung der Gebote Gottes: befreie uns!

Vom Versuch, in den Herzen der Menschen die Wahrheit Gottes zu ersticken: befreie uns!

Von den Sünden gegen den Heiligen Geist: befreie uns, befreie uns!

Höre, Mutter Christi, diesen Hilfeschrei, in welchem die Not aller Menschen zu Dir ruft. Papst Johannes Paul II.

Montag
der zweiten Adventswoche

WORT GOTTES

„Stärkt die erschlafften Hände, festigt die schlotternden Knie! Sprecht zu den Verzagten: Seid stark, fürchtet euch nicht! Seht da, euer Gott! Er selbst wird kommen und euch retten."

Jes 15, 3–5

WEGWEISUNG

Wenn wir so oft wenig froh sind, wenn wir uns selber zu den unseligen Kreaturen zählen möchten, dann wird das sicherlich im Zusammenhang stehen mit dem Mangel an Dank gegen Gott, und dieser Mangel hängt aufs engste wieder mit dem mangelnden Freimut im Bekennen zusammen. Wer sich aber im Bekenntnis öffnet, der wird heil in der Vergebung Jesu Christi. Jedes göttliche Wort und jeder Vollzug des Sakraments ist Angebot der Reinheit des Herzens, dem Jesus selbst Gottesschau und Gottesnähe zuspricht. Nicht, weil wir unschuldig sind, dürfen wir als Kinder dem Vater nahen, sondern weil wir beschirmt sind von der Barmherzigkeit Gottes und gezeichnet sind mit dem Kreuz Christi. Nicht unserer eingebildeten Schuldlosigkeit wegen gehören wir auf die Seite der Gerechten und haben Anteil am hellen Tag und am Leben, sondern als in Christus Erweckte – heute und am Ende der Tage. Helga Rusche

Es ist nicht wahr, daß ich in lauter Sackgassen stecke. Es ist nicht wahr, daß meine Chancen verbraucht sind. Es ist nicht wahr, daß mit mir sich nichts machen läßt. Jeder Tag ist der Tag seines neuen Anfangs mit mir – und darum meines neuen Anfangs mit ihm und mit dem Leben. Je tiefer wir diesen je neuen Anfang verankern im sakramentalen Zuspruch seines

Erbarmens, desto tiefer werden wir auch unsere Lebenslinie umzukehren vermögen: nicht mehr Aufbruch des immer geringer werdenden Lebensrestes, sondern Aufbruch in je neu erschlossene Zukunft.

Ich brauche nicht auf der Flucht zu leben, sondern ich kann zugehen auf das, was jeder Tag mir bringt. In allem begegne ich ihm, in allem stärkt mich die Gemeinschaft mit ihm, der alles Meine schon getragen und so verwandelt hat. Klaus Hemmerle

Unermüdlich sucht uns Christus, arbeitet er an uns. Ununterbrochen fragt er uns: Liebst du mich? Liebst du mich mehr als andere?

Unser Verhältnis zu ihm ist eine Freundschaftsbeziehung. Und wie es in jeder Freundschaft Zeiten der Gleichgültigkeit gibt, gibt es auch in unserem Leben Perioden der Gleichgültigkeit Christus gegenüber. Wir fragen uns dann: sollten wir ihn verlassen haben?

Jede Freundschaft besteht um den Preis eines Neubeginns, der jedes Mal aus der Versöhnung ersteht. Wenn wir uns mit Christus versöhnen, entdecken wir ihn gleichsam neu: Ihn, die Liebe jeder Liebe, mißhandelt, verletzt, von vielen zurückgelassen und doch es niemals leid, uns zu begleiten. Frère Roger

GEBET

Gnädig und barmherzig ist der Herr,
langmütig und reich an Gnade.

Der Herr ist gütig zu allen,
sein Erbarmen waltet über all seinen Werken.

Der Herr stützt alle, die fallen,
und richtet alle Gebeugten auf.

Der Herr ist allen, die ihn anrufen, nahe,
allen, die zu ihm aufrichtig rufen.

Aller Augen warten auf dich,
und du gibst ihnen Speise zur rechten Zeit. aus Psalm 145

Dienstag
der zweiten Adventswoche

WORT GOTTES

„Wenn jemand hundert Schafe hat und eines von ihnen sich verirrt, läßt er dann nicht die 99 auf den Bergen zurück und geht und sucht das verirrte Schaf?" Mt 18,12

WEGWEISUNG

Wer könnte zweifeln, daß es um eine große Sache ging, da der erhabene Weltherrscher aus solcher Ferne auf einen so unwürdigen Ort herabkam? Denn wozu kam er herab? Seine Worte und Taten verkündeten laut den Grund seines Kommens. Er kam von den Bergen herabgeeilt, um aus den hundert das eine Schaf zu suchen, das sich verirrt hatte. Unseretwegen ist er gekommen, damit sein Erbarmen und seine wunderbaren Taten den Menschenkindern sichtbarer das Lob des Herrn verkünden.

Wunderbar ist die Herablassung Gottes, der uns sucht, groß die Würde des Menschen, der so gesucht wird! Alle Reichtümer und alle Herrlichkeit der Welt und alles, was in der Welt begehrenswert ist, bedeutet nicht so viel wie dieser Ruhm, ja nichts kann damit verglichen werden. Herr, was ist der Mensch, daß du ihn so groß machst? Warum hängst du dein Herz an ihn?

Es wäre angemessener gewesen, wir wären zu ihm gekommen. Allein da gab es zwei Hindernisse: Unsere Augen waren dunkel geworden, er aber wohnt in unzugänglichem Licht. Und dann lagen wir auf der Bahre als Gelähmte und konnten nicht zur Höhe Gottes hinaufgelangen. Darum kam der gütige Heiland und Arzt unserer Seele von seiner Höhe herab.

Bernhard von Clairvaux

In allen biblischen Hirtenbildern sind es vor allem zwei Züge, die vom Guten Hirten ausgesagt werden: Der Hirt führt die Seinen zusammen, er leitet sie aus der Fremde in seine Hörweite. Und sie bleiben bei ihm, denn er ruft sie, und sie hören seine Stimme und folgen. Innerhalb des Bereiches seines Wortes gibt es keine Angst, da ist Geborgenheit und Frieden. Darum liegt dem Hirten daran, daß keines der Schafe sich außerhalb der Hörweite verirrt.

Und das zweite: Der Hirt nährt die Seinen, er ist ihr Gastgeber. Und nun durchbricht heilige Wirklichkeit das Bild von den Schafen und von ihrem Hirten. Es ist ja nicht von Schafen und nicht von irgendeinem Hirten die Rede, sondern von dem Einen, der sich um uns sorgt, weil wir so leicht dem Feind in die Arme laufen, sei es in der Sucht nach besseren Weideplätzen oder weil wir im Niemandsland Abenteuer suchen und uns dabei die Nacht überfällt. Es gibt keinen größeren Gegensatz zu unserer inneren und haltlosen Unruhe als das Bild vom großen Gastgeber, der ohne Überstürzung den Tisch bereitet, weil bei ihm Frieden ist. Nicht nur kurze Zuflucht, sondern Heimat will er bieten. Sonst würde der Sänger des Psalmes nicht jubelnd ausrufen: „Wohnen darf ich im Hause des Herrn!" Nahrung und Schutz bietet der Herr denen, die er aufgenommen und an seinen Tisch geladen hat. Helga Rusche

GEBET

Der Herr ist mein Hirte,
nichts wird mir fehlen.

Er stillt mein Verlangen,
er leitet mich auf rechten Pfaden, treu seinem Namen.

Muß ich auch wandern in finsterer Schlucht,
ich fürchte kein Unheil,

denn du bist bei mir,
dein Stock und dein Stab geben mir Zuversicht.

Lauter Güte und Huld werden mir folgen mein Leben lang,
und im Haus des Herrn darf ich wohnen für lange Zeit.

aus Psalm 23

Mittwoch
der zweiten Adventswoche

WORT GOTTES

„Kommt alle zu mir, die ihr geplagt und beladen seid. Ich will euch ausruhen lassen." Mt 11,28

WEGWEISUNG

Der Trost und die Freude des Evangeliums ist auch uns verkündet, und wir sind eingeladen, unser zagendes Herz ihnen zu öffnen. Auch uns ist die Huld Gottes, die in Jesus erschienen ist, bezeugt. Doch vor unseren Augen ist das Antlitz des Herrn hinweggenommen. Und es mag sein, daß der Gang unserer Geschichte und für manchen aus uns sein persönlicher Lebensgang eine besonders dichte Nacht der Unsichtbarkeit und der scheinbaren Ferne Jesu und damit des Lichtes Gottes zugefügt hat. Sollten wir nicht in aller unserer Armut den heimlichen Heiligen Geist der Freude in uns erfahren dürfen? Der Gedanke wird uns vielleicht in unserer Nüchternheit und in unserer so weiten Entfernung von allem unmittelbaren Bewußtsein göttlichen Trostes als allzukühn erscheinen. Aber die Schrift lädt uns ganz einfach und deutlich ein, uns ihm gleichwohl anzuvertrauen.

Wir werden das stille Wehen dieses schönen Geistes am besten vernehmen lernen, wenn wir uns immer wieder in Einfalt des Lichtes erinnern, das auf dem Antlitz Jesu erschien, versöhnend und wunderbar über allen Mühseligen und Beladenen.

Aber dann müssen wir wohl in der Stille einiges abbauen und auflösen von unserem Zögern, unserer Rechenhaftigkeit, unserer Trägheit und Schwermut. Dann müssen wir wohl aufzuräumen beginnen mit jenen Arten freudloser Kleinlichkeit, denen wir gerne christliche Namen geben. Sie verdienen diese

Namen nicht. Und im Maße wir versuchen, aus dieser Bindung ans Kleinliche herauszukommen, werden wir am Ende merken, daß doch so etwas wie eine Kraft, ein Hauch und eine verborgene Lebendigkeit sich in uns regt, welche einstimmig ist mit unseren eigenen Versuchen, ihre Bewegungen mitmacht, ja am Ende überhaupt trägt. Wir können schließlich etwas entdecken auf dem Grunde des Herzens wie den Rest einer Flamme, wie eine lange verdeckte Glut, die wieder in Gang kommen kann, sobald sie ein wenig Luft bekommt. Wo wir aber darauf kommen, da müssen wir uns dann vollends frei machen für dieses von Gott uns eingegebene Leben in der verborgenen Mitte unseres Herzens. Der Morgenwind des Geistes der unsichtbaren Freude hat auch uns berührt, und er hat sich mit den Regungen unseres eigenen Herzens verbündet.

Bernhard Welte

Höre, mein Herz, Gott hat schon begonnen, seinen Advent in der Welt und in dir zu feiern. Leise und sanft, so leise, daß man es überhören kann, hat er die Welt und ihre Zeit schon an sein Herz genommen, ja sein eigenes unbegreifliches Leben eingesenkt in diese Zeit. Und eben dies geschieht in dir selber und wird die Gnade des Glaubens genannt, jenes Abfallen der Angst vor der zerrinnenden Zeit, weil an ihr Großes getan hat, der da mächtiger ist als die Zeit, die er geschaffen hat, um sie zu erlösen in seine Ewigkeit hinein. Kein heller Jubel ist dir abverlangt, armes Herz, in diesem Advent, der ja ein Leben lang dauert, da dein Advent erst endet, wenn dir gesagt wird: geh ein in die Freude deines Herrn. Kein heller Jubel, denn dafür spürst du noch zu sehr den harten Druck der Fesseln der Zeit, auch wenn sie schon von deinen Händen und Füßen abzufallen begonnen haben.

In dir muß nur leben die demütig nüchterne Freude des glaubenden Harrens, das nicht meint, das greifbar Gegenwärtige sei alles. Ist diese Freude, die adventliche Freude, so schwer? Ist Resignation und verhohlene Verzweiflung wirklich leichter? Frage nicht, zweifle nicht: Du hast, mein Herz, schon die Freude des Advents gewählt. Sage dir darum mutig gegen deine eigene Unsicherheit: Es ist Advent des großen Gottes.

Wenn du es glaubend und liebend sagst, ziehen in das Jetzt dieses Wortes ein die heilgewordene Vergangenheit deines Lebens und die Zukunft, die ewig ist und grenzenlos. Denn es zieht in das Herz ein, der, der der Advent selber ist, die schon ankünftige Zukunft ohne Grenzen, der Herr, der in die Zeit des Fleisches schon gekommen ist, um sie zu erlösen. Karl Rahner

GEBET

Du wachst als Hirte
über deine Schöpfung,
alles Lebendige ist in deiner Hut,
uns alle kennst und bewahrst du,
wo wir auch gehn oder stehn.
Wir bitten dich,
so möge es bleiben,
niemals soll uns irgend etwas mangeln,
und eintreten laß uns
in deine Ruhe und in deinen Frieden
heute und an jedem Tag
unseres Lebens.

Huub Oosterhuis

Donnerstag
der zweiten Adventswoche

WORT GOTTES

„Ich bin der Herr, dein Gott, der dich bei der Hand faßt, der zu dir spricht: Fürchte dich nicht, ich helfe dir. – Dein Erlöser ist der heilige Gott Israels." Jes 41,13.14

WEGWEISUNG

Jesus, als Kind, unbewehrt, „Emmanuel", Gott zum Anfassen, Gott zum Du-Sagen, lädt uns zu sich ein, uns, die wir in einem sehr tiefen Sinn doch alle an der „hinfallenden Krankheit" leiden. Immer wieder sind wir unfähig, inwendig aufrecht zu gehen. Immer wieder fallen wir hin, sind nicht Herr über uns selbst, entfremdet und unfrei.

Auf diese Urwahrheit des Menschseins weist uns das Kind Jesus hin: Wir müssen wiedergeboren werden. Wir müssen angenommen werden und uns annehmen lassen. Wir müssen unsere Abhängigkeit in Liebe verwandeln lassen und darin frei werden. Wir müssen wiedergeboren werden, den Stolz ablegen, Kind werden: im Kind Jesus die Frucht des Lebens erkennen und empfangen. Dazu will Weihnachten uns führen; das ist die Wahrheit des Kindes.

Jesus, der die Frucht des Lebensbaumes, das Leben selber ist, ist so klein geworden, daß unsere Hände ihn umschließen können. Er macht sich abhängig von uns, um uns frei zu machen, uns aufzurichten von unserer hinfallenden Krankheit. Enttäuschen wir sein Vertrauen nicht. Geben wir uns in seine Hände, wie er sich in die unseren gegeben hat. Joseph Kardinal Ratzinger

Wenn ich an einem Morgen nicht bereit bin, wenn ich aufwache, zu sagen: „Christus, Gekreuzigter, verlassener Christus, ich erwarte dich in all den Situationen, die heute nicht gut sind", wenn ich das vor mir herschiebe und wegschiebe, dann ende ich den Tag in der Taktik oder in der Angst oder in der Traurigkeit. Wenn ich aber sage: „Ich warte heute auf dich, ich weiß, du kommst als der Stärkere zu mir in dem, was stärker ist als ich", dann wird der Tag ein kleines Samenkorn oder Senfkorn oder ein kleiner Regentropfen der Liebe. Erwarten Sie ganz konkrete Liebe Christi, ganz konkret die Liebe Christi in den Dingen, die dunkel sind, die schwarz sind, jeden Tag, und glauben Sie vor allen Dingen, daß jedesmal, wenn Sie fallen, jedesmal, wenn Sie schwach sind, die Wundmale seiner Barmherzigkeit auf Sie warten.

Haben Sie doch keine Angst und ideologisieren Sie doch nicht Ihre Schwäche, sondern wir sind halt schwach. Aber wenn wir wirklich das nüchtern sehen und es jedesmal wieder wirklich ins Erbarmen Gottes hineingeben, dann kann in uns seine Liebe stärker werden. Gehen wir miteinander diesen Weg, Christi Liebe wird stärker sein.

Klaus Hemmerle

GEBET

Barmherziger Gott,
du kennst unsere Schwachheit und unsere Not.
Doch je hinfälliger wir sind,
um so mächtiger ist deine Hilfe.
Gib, daß wir das Geschenk dieser Gnadenzeit
freudig und dankbar annehmen
und dein Wirken in unserem Leben bezeugen.
Darum bitten wir durch Jesus Christus.

Tagesgebet

Freitag
der zweiten Adventswoche

WORT GOTTES

„Mit wem soll ich diese Generation vergleichen? – Johannes ist gekommen und ißt und trinkt nicht. Darum sagen sie: Er ist besessen. Der Menschensohn ist gekommen und ißt und trinkt. Darauf sagen sie: Dieser Fresser und Säufer, dieser Freund der Zöllner und Sünder!" Mt 11, 16a.18.19

WEGWEISUNG

Das Ärgernis bedeutet den Ausbruch der Gereiztheit des Menschen wider Gott. Wider Gottes Eigenstes: wider seine Heiligkeit. Ärgernis ist das Aufbegehren wider das lebendige Wesen Gottes. Im Tiefsten des Menschenherzens, neben der Sehnsucht nach dem ewigen Ursprung, aus welchem das Geschöpf kommt und in dem allein alle Fülle ist, schlummert auch der Widerstand gegen den gleichen Gott, die Urgestalt der Sünde, und wartet auf die Gelegenheit. Doch tritt das Ärgernis selten nackt, als unverhülltes Angehen gegen Gottes Heiligkeit hervor. Meist verbirgt es sich, indem es sich gegen einen Menschen richtet, der sie trägt: gegen den Propheten, gegen den Apostel, gegen den Heiligen. – Etwas in uns erträgt die dem Heiligen verpflichtete Existenz nicht. Es empört sich dagegen.

Das Ärgernis ist der große Gegner Jesu. Es macht, daß sie die Ohren für die frohe Botschaft nicht öffnen; dem Evangelium nicht glauben; sich dem Reiche Gottes verschließen; gegen es angehen. Aus dem Ärgernis kommen die Mächte, welche Jesu Widerstand gegen ihn organisieren. Als Begründung nehmen sie, was sie finden: daß er am Sabbat heilt, daß er mit Übelbeleumdeten Tischgemeinschaft hält, daß er nicht asketisch lebt und was immer. Der eigentliche Grund aber ist nie der vorgeschobene, sondern jene geheimnisvolle, unbegreifliche Regung, mit welcher das in die Sünde gefallene Menschenherz sich gegen den heiligen Gott auflehnt. Romano Guardini

Die Bibel legt dar, daß alle Verhärtung des Menschen damit beginnt, daß der Mensch sich Gott gegenüber verhärtet, ihn vergißt oder leugnet. Dahin aber führen viele Wege. Er wird unempfindlich für den leisen Anruf Gottes durch alle Dinge hindurch, er wird taub für die Stille, er wird oberflächlich. Das Leben hat keine Innenseite, keine „Seele“ mehr. Und so wird das Vordergründige, wird ein Teilbereich des Lebens zum Ganzen gemacht ...

Wir werden immer wieder entdecken, daß auch unser eigenes Herz hart ist, daß wir uns manchen Menschen gegenüber verhärten, statt sensibel zu sein, manchen Ereignissen gegenüber uns verschließen, statt uns zu öffnen, daß wir nicht selten so leben, als gäbe es Gott nicht, als würde er heute nicht mehr zu uns Menschen sprechen.

Das aber ist die eigentliche Gefahr, die uns erschreckt, sobald wir sie sehen, die Gefahr, daß wir die Verhärtung unseres eigenen Herzens nicht mehr wahrnehmen und meinen, es sei alles in Ordnung. Jesus fordert darum bei vielen Gelegenheiten seine Jünger auf, wachsam zu sein. Seid nüchtern, laßt euch nicht täuschen. Laßt euch nicht verführen weder von den abgründigen Möglichkeiten des eigenen Herzens noch vom Tun und Treiben und der Selbstsicherheit eurer Mitmenschen. „Seid wachsam!“ Eugen Weiler

GEBET

Wir bitten dich:
zerbrich, was dir nicht angehört
und gegen dich streitet in unseren Herzen.

Wir bitten dich:
zerschlage allen Trotz,
wehre aller Schwäche
und mache der Feigheit ein Ende. Gebet der Tageszeiten

Samstag
der zweiten Adventswoche

WORT GOTTES

„Die Jünger fragten Jesus: Warum sagen denn die Schriftgelehrten, zuerst müsse Elija kommen? Er antwortete ihnen: – Elija ist schon gekommen, doch sie haben ihn nicht erkannt. Da verstanden die Jünger, daß er von Johannes dem Täufer sprach." Mt 17, 10.12–13

WEGWEISUNG

Johannes erinnert an Elija. Er bringt mehr als nur eine Erinnerung an die Zeiten der Gnade: er kündigt eine neue Zeit der Gnade an als Erfüllung aller vergangenen Zeiten.

Nun kommt Gott wahrhaftig. Johannes ist die Stimme des Rufers in der Wüste. Der Weg, der bereitet werden muß, ist ein Weg im Innern des Menschen, der bestehen bleibt. Dieser Weg heißt Bekehrung. „Bekehrt euch!", das ist der Ruf des Johannes. „Kehret euren Geist um", so steht dort wörtlich: Denke anders, denke neu. Die Botschaft des Johannes ist voller Freude. Sie kündet ja die Zeit der Gnade Gottes an. Aber sie ist zugleich damit auch erfüllt von dem Ernst, daß die Menschen auf die kommende Gnade mit Ja, aber auch mit Nein antworten können. Johannes ist davon durchdrungen, wie sehr der Kommende „zum Fall, aber auch zur Rettung" sein wird.

Mit Johannes hebt ein gewaltiges Ereignis an. Dieses unterscheidet ihn von allen Gestalten des Alten Testaments. Er ruft: Das Reich ist nahe! So gehört er schon zum Neuen Testament. Er gehört dazu als der Mann am Wendepunkt. Der Weg zu Christus geht über ihn. Josef Gülden

Johannes ist wirklich Vorläufer. Das und sonst nichts, weil er dieses war und nicht mehr sein wollte, weil er abzunehmen bereit war, damit der Kommende wachsen konnte, ... darum und gerade so gehört er in die Geschichte Jesu, des endgültigen Heiles hinein und ist er gesegnet mit der Fülle der Zukunft.

Sind wir nicht alle Vorläufer? Mühsam pilgern wir die Straßen unseres Lebens. Immer liegt uns etwas voraus, das wir noch nicht eingeholt haben; immer wieder wird das Eingeholte zum Befehl, es hinter uns zu lassen und weiterzugehen ...

Wir sind immer und überall nur Vorläufer, und das Ziel dieses Laufes scheint ewig fern zu bleiben, außerhalb unserer Macht zu stehen und immer wieder in neue Fernen zurückzuweichen, wenn wir ihm nahegekommen zu sein meinen.

Bei dieser Verfaßtheit unserer Existenz ist die adventliche Haltung geboten, die uns der Täufer als Vorläufer Jesu vorlebte: die willige Annahme der scheinbar alltäglich kleinen Aufgabe, die die eigene Stunde verlangt, ... auch wenn wir das Größere sehen, das uns versagt bleibt; die neidlose Bereitschaft, das Herrlichere bei den anderen anzuerkennen, auch wenn es seinen Glanz nicht auf einem selbst ruhen läßt; die Zuversicht, daß alle Endlichkeiten, selbst der Tod, inwendig noch vom Gott der Liebe und des Lichtes erfüllt sein können, wenn sie nur hoffend angenommen werden ...; die Gewißheit, daß alles Säen unter Tränen eine Ernte der Freude erbringt.

Wer arglos nimmt *und* arglos läßt, der ist im Advent ... Das Leben ist ein einziger Advent. Ob wir das Leben als solchen Advent anzunehmen und zu feiern gewillt sind, das ist die Frage.

Karl Rahner

GEBET

Weise mir, Herr, deinen Weg,
ich will ihn gehen in Treue zu dir,

richte mein Herz darauf,
deinen Namen zu fürchten!

Ich will dir danken, Herr, mein Gott,
aus ganzem Herzen,
will deinen Namen ehren auf immer.

aus Psalm 86

Dritter Adventssonntag

WORT GOTTES

„Freut euch im Herrn zu jeder Zeit. Noch einmal sage ich: freut euch! Eure Güte werde allen Menschen bekannt. Der Herr ist nahe! Eure Güte werde allen Menschen bekannt.“

Phil 4,4–6

WEGWEISUNG

Wir freuen uns jetzt schon, weil wir wissen, daß der Herr kommen wird! Unsere Erwartung führt zur Freude, und unsere Freude weckt in uns den Wunsch, andere damit zu beschenken. Echte Freude will immer teilen. Es gehört zur Natur der Freude, sich anderen mitzuteilen und andere einzuladen, daß sie an den Geschenken teilnehmen, die wir empfangen haben.

Der Advent ist wirklich eine Zeit frohen Wartens und frohen Schenkens. Die Zeit vor Weihnachten hat dieses erstaunliche Gepräge der Freude, das anscheinend nicht nur die Christen anrührt, sondern alle, die in unserer Gesellschaft leben.

Aber der Advent ist nicht nur eine Zeit der Freude. Er ist auch die Zeit, in der sich die Vereinsamten noch einsamer fühlen als in anderen Zeiten des Jahres ... Die Menschen, die Hoffnung haben, empfinden große Freude und möchten andere beschenken. Die Menschen, die keine Hoffnung haben, fühlen sich niedergedrückter denn je und werden oft voll Verzweiflung auf sich selbst zurückgeworfen.

Als Jesus am einsamsten war, hat er uns am meisten gegeben. Diese Erkenntnis sollte mir helfen, meine Dienstbereitschaft zu vertiefen; sie sollte meinen Wunsch, andere zu beschenken, unabhängig davon werden lassen, ob ich augenblicklich Freude empfinde. Nur eine Vertiefung meines Lebens in Christus wird mir dazu die Kraft geben. Henri J. M. Nouwen

Der Herr kann nahe sein und doch verborgen. Es ist ein weitverbreiteter Irrtum, meist wie eine stillschweigende, selbstverständliche Voraussetzung, daß man die Nähe Gottes spüren und erfahren müsse. Man setzt es oft fast gleich: „Gott ist mir nahe" und „Ich erfahre seine Nähe, seine Freude, seinen Frieden". Wohl kann uns dies geschenkt sein, und es wird uns geschenkt als Stärkung auf dem Wege. Aber wie die Sonne weiterscheint und wir weiter in ihrem Lichte leben, auch wenn sie von Wolken bedeckt ist, so kann Gott uns nahe sein auch dann, wenn wir diese Nähe nicht erfahren, wenn er fern zu sein scheint, etwa in Leid, in der Versuchung, bei innerer Armut und Verlassenheit.

Wir wollen bitten, daß uns doch etwas von dem geschenkt werde, was der Apostel nennt als Frucht dieser Nähe des Herrn: Freude mitten in der Traurigkeit, Sorglosigkeit mitten in aller Gefährdung und Ungewißheit, Güte und Gutsein zu allen in einer Welt, in der so oft einer des anderen Feind und Neider ist, und in einer immer noch friedlosen Welt eine Ahnung und ein Vorgeschmack des Friedens, der alles Begreifen übersteigt.

Theo Gunkel

Wir wünschen uns in diesen Tagen oft genug „Frohe Weihnachten". Das mag oft oberflächlich dahin gesagt und gemeint sein. Aber es steckt in diesem Wunsch auch etwas sehr Tiefes: der Wunsch nach Erfülltheit des Lebens, nach Freude und Friede, der aus der Gemeinschaft mit Gott kommt. Von dieser Freude aus dem Glauben sagen die Psalmen, sie sei unsere Kraft. Diese Freude sollen wir uns an diesen Tagen wünschen.

Die Humanität der Freude schließt alltägliche Freude nicht aus, sondern ein. Aber sie hat ihren Grund nicht in den äußeren Bezirken des Menschseins, wie das Vergnügen, sondern in der tiefsten Mitte des Menschen. Es gibt sie nur in der Sammlung aus dieser Mitte, in der Bemühung um Stille und Distanz, in geistiger Zucht und im Bemühen um den letzten und alles umgreifenden Sinn unseres Daseins, in der vielleicht verschwiegenen, aber vielleicht gerade dann intensiven Begegnung mit Gott.

Die christliche Freude ist also keine blasse Theorie. Sie ist gelebte und erfahrene Wirklichkeit. Damals wie heute. Es ist die Grundbotschaft des Evangeliums, das Botschaft von der durch Jesus Christus gekommenen Freude ist.

Dieser Gott hat sich zu erfahren gegeben als Gnade, die Anmut, Glanz, Herrlichkeit ist, und als Liebe, die sich selbst wegschenkt. Von diesem Gott wird gesagt, er freue sich über den Sünder, der sich bekehrt, und er bereite allen Menschen Freude im Himmel. Dieser Gott freut sich über jeden von uns, weil er jeden mit Namen kennt und liebt. Walter Kasper

GEBET

Ich will dir danken, Herr, aus ganzem Herzen,
verkünden will ich all deine Wunder.

Ich will jauchzen und an dir mich freuen,
für dich, du Höchster, will ich singen und spielen.

So wird der Herr für den Bedrückten zur Burg,
zur Burg in Zeiten der Not.

Darum vertraut dir, wer deinen Namen kennt,
denn du, Herr, verläßt keinen, der dich sucht. aus Psalm 9

Montag
der dritten Adventswoche

WORT GOTTES

„Der Herr wartet darauf, euch seine Gnade zu zeigen, er erhebt sich, um euch sein Erbarmen zu schenken.“ Jes 30, 18f

WEGWEISUNG

Es ist ganz gewiß: Du hast uns zuerst geliebt, damit wir dich lieben. Nicht als ob du es nötig hättest, von uns geliebt zu werden, sondern weil wir nicht sein können, wozu du uns geschaffen hast, ohne daß wir dich lieben.

Deswegen hast du „viele Male und auf vielerlei Weise einst zu den Vätern durch die Propheten gesprochen; in dieser Endzeit aber hast du zu uns gesprochen durch den Sohn“, durch dein Wort, „durch das der Himmel geschaffen ist, sein ganzes Heer und durch den Hauch seines Mundes“.

Durch deinen Sohn sprechen heißt für dich nichts anderes, als sonnenklar machen, wie sehr und auf welche Weise du uns liebst, der du „deinen eigenen Sohn nicht verschont, sondern ihn für uns alle hingegeben hast“, den Sohn, der uns auch selbst „geliebt und sich für uns alle hingegeben hat“.

Er ist dein Wort an uns, Herr, das „allmächtige Wort“, das vom Königsthron kam, als mitternächtliches Schweigen, das heißt tiefer Irrtum, alles umfing ...

Was immer Christus auf Erden gesprochen, was immer er getan und gelitten hat, ... stets sprachst du zu uns in ihm, deinem Sohn, immer riefst du uns zur Liebe auf und erwecktest durch deine Liebe unsre Liebe zu dir.

Du wolltest also, daß wir dich lieben sollen, wir, die ohne die Liebe zu dir nicht gerettet werden können, wir, die wir dich nicht lieben können, wenn es nicht von dir ausgeht. Daher ist es so, Herr, wie der Apostel deiner Liebe schreibt: „Du hast uns zuerst geliebt"; alle, die dich lieben hast du zuerst geliebt.

Wilhelm von St.-Thierry

In dem alten Adventslied: „O komm, Emmanuel!" wird die ganze heutige Thematik umgriffen. Auch dieser Text wird möglicherweise heute ganz neu verstanden, nicht nur als Erinnerung an etwas, was früher einmal war, zur Zeit des Alten Testamentes, sondern als konkrete Beschreibung dessen, was heute mit uns selbst, mit unserer Kirche und mit unserer Welt los ist: Wir rufen den „Gott mit uns" an, den Emmanuel, den Anwalt derer, die unfrei und entfremdet sind, die sich in wirklichem Elend befinden und um deren Tränen und Seufzer er weiß. Wir bekennen ihm gegenüber die Verblendung, die über das Volk Gottes, die Kirche, gekommen ist, den Trug und den Wahn, so daß dieses Volk nicht mehr erkennt, was der Emmanuel, der Gott mit uns, mit den Menschen im Sinn hat.

Und wir bekennen uns zu Christus, dem Sohn Gottes, der sich bis zum Äußersten erniedrigt hat. Dadurch hat er allen Menschen eine Hoffnung erschlossen, die durch nichts zu überwinden ist; eine Hoffnung, die bei denen, die es erfaßt haben, mitten in all den ungeheuren Problemen und Schwierigkeiten eine unbeschreibliche Freude auslöst.

Adolf Exeler

GEBET

Barmherziger Gott,
du hast auf uns gewartet,
als wir noch fern von dir waren.
Nimm uns auf,
da wir nun zu dir zurückkommen,
und gib uns wieder einen Platz an deinem Tisch.
Darum bitten wir durch Jesus Christus.

Tagesgebet

Dienstag
der dritten Adventswoche

WORT GOTTES

„Blickt auf zu ihm, so werdet ihr strahlen, und euer Antlitz braucht nicht zu erröten!" Psalm 34

WEGWEISUNG

Geh in das Kämmerlein deines Herzens; schließ alles aus außer Gott und dem, was dir hilft, ihn zu suchen! Schließ die Tür zu, und suche ihn! Dann, mein ganzes Herz, sprich zu Gott: „Dein Angesicht, Herr, will ich suchen."

Nun, mein Herr und mein Gott, lehre du mein Herz, wo und wie es dich suchen, wo und wie es dich finden kann.

Herr, wenn du nicht hier bist, wo soll ich dich, den Abwesenden, finden! Wenn du aber überall bist, warum sehe ich dich nicht, da du doch anwesend bist? Gewiß, du wohnst in unzugänglichem Licht. Wo ist dies unzugängliche Licht, oder wie soll ich Zugang zu ihm finden? Herr, du bist mein Gott, und du bist mein Herr, und ich habe dich niemals gesehen. Du hast mich geschaffen und neu geschaffen und mir alles Gute geschenkt. Doch immer noch kenne ich dich nicht. Schließlich bin ich dazu erschaffen, dich zu sehen, und habe noch immer nicht getan, wozu ich erschaffen bin.

O Herr, wie lange noch? Wann wirst du herschauen und uns erhören? Wann wirst du unsere Augen erleuchten und uns dein Angesicht zeigen? Wann gibst du dich uns wieder zurück? Herr, schau her, erhöre, erleuchte uns und zeige uns dich selbst! Gib dich uns wieder, damit es uns wohlergehe; denn wir sind arm ohne dich. Hab Erbarmen mit unserm Mühen und unsern Versuchen, zu dir zu kommen; denn wir vermögen nichts ohne dich!

Lehre mich, dich zu suchen, und zeige dich dem Suchenden;

denn ich vermag dich nicht zu suchen, wenn du mich nicht lehrst; ich kann dich nicht finden, wenn du dich nicht zeigst. Ich möchte dich suchen in Sehnsucht, nach dir verlangen im Suchen. Ich will dich finden im Lieben, dich lieben im Finden.

Anselm von Canterbury

Wie sehr wir auch in allgemeinen Worten vorgeben, daß wir geändert werden möchten, – wenn es darauf ankommt, wenn die Einzelheiten der Änderung uns vor Augen gestellt werden, schrecken wir vor ihnen zurück und sind es zufrieden, zu bleiben wie bisher. Wenn aber einer zu Gott kommt, um gerettet zu werden, so ist nach meiner Ansicht das Wesen wahrer Bekehrung eine Übergabe seiner selbst, eine vorbehaltlose, bedingungslose Übergabe; und das ist eine Weise, die sehr viele, die zu Gott kommen, nicht annehmen können. Sie möchten gerettet werden, aber auf ihre eigene Weise, sie möchten (sozusagen) bedingt kapitulieren, ihre Güter behalten; wogegen der wahre Glaubensgeist den Menschen dazu führt, von sich weg auf Gott zu blicken, nicht an seine eigenen Wünsche, an seine gegenwärtigen Gewohnheiten, an seine Bedeutung oder Würde, an seine Rechte und seine Ansichten zu denken, sondern zu sagen: „Ich lege mich in deine Hände, Herr, mach du mit mir, was du willst: ich vergesse mich: ich trenne mich von mir; ich bin mir gestorben; ich will dir folgen."

John Henry Newman

GEBET

Der Herr ist mein Licht und mein Heil:
Vor wem sollte ich mich fürchten?

Der Herr ist die Kraft meines Lebens:
Vor wem sollte ich bangen?

Eines nur erbitte ich vom Herrn,
danach verlangt mich:

im Hause des Herrn zu wohnen
alle Tage meines Lebens.

aus Psalm 27

Mittwoch
der dritten Adventswoche

WORT GOTTES

„Johannes schickte zwei seiner Jünger zum Herrn und ließ ihn fragen: Bist du es, der da kommen soll, oder müssen wir auf einen anderen warten?" Lk 4, 19

WEGWEISUNG

Jesus gibt dem Täufer Antwort. Er läßt seine Boten nicht unverrichteterdinge zurückkehren. Fragt man ernsthaft, ob er der „Kommende", der Messias im Namen Gottes sei, so läßt er den Fragenden nicht leer ausgehen. Dabei muß ihn die Frage Johannes des Täufers schmerzlich berühren.

Auch wenn *wir* diese Frage stellen, wird das Jesus schmerzlich treffen. Aber auch uns gibt er Antwort. Diese Antwort ist freilich zunächst überraschend und mag manchen nicht befriedigen. Jesus weist den Täufer zuerst auf sein Wirken hin. „Berichtet dem Johannes, was ihr hört und seht! Blinde sehen und Lahme gehen, Aussätzige werden rein und Taube hören, Tote werden auferweckt, und den Armen wird das Evangelium verkündet." In diesem Handeln ist in der Tat Gott auf dem Weg und richtet durch Jesus seine Herrschaft auf Erden auf. Es sind Taten und Worte des Erbarmens und der Heilung, in denen sich Gott naht. Sie und keine anderen sind die Zeichen der Ankunft des „Kommenden". Wo man auf solche rettende Zeichen trifft, da kommt *Gott.*

Aber Anstoß an Jesus von Nazareth als den Messias nehmen, das heißt auch betroffen sein, daß Gott so nahe gekommen ist, daß er uns in einem Menschen sozusagen auf den Leib gerückt ist, so daß wir uns nicht mehr einen Gott ausdenken können, der in der wohlgesicherten Ferne weilt und uns nicht stören kann, daß vielmehr die Menschen, Völker, Götter dieser Welt sich vor diesem konkreten Gott beugen und ihm im Glauben gehorsam sein müssen.

Aber der Anstoß, den wir oft an Jesus nehmen, besteht auch und vor allem darin, daß er in seinem Tun und Leiden die Ungerechtigkeit und Unwahrheit der Menschen bis in den Tod auf sich nahm und so sie besiegte.

Jesus läßt dem fragenden Täufer und jedem, der so wie er fragt, sagen: die Antwort auf die Frage: „Bist Du, der da kommen soll?" ist „Selig, wer an mir keinen Anstoß nimmt". Selig, wer alle Vorbehalte, Bedenken, Mißtrauen, Widerstände, Zweifel fahren läßt und ein gehorsames, einfaches und doch so schweres Ja zu Gott in Ihm sagt. Selig, wenn wir uns von unseren Vorurteilen und Vorverständnissen, von unseren Vorstellungen und Einstellungen losreißen und Gott in Ihm vertrauen. Dann öffnen sich die Ohren und Augen für das, was er sagt, und für die Zeichen, die er gibt, und für das Kreuz, an das er eilt, und wir hören und sehen das geheimnisvolle Geschehen, daß Gott in diesem armen und liebenden Jesus zu uns kommt, in ihm uns zuspricht, in ihm uns fordert.

Und all unser Fragen erlischt, wenn wir ihn als den anerkennen, der er ist, wenn wir uns ihm im Glauben öffnen und ihn im Gehorsam sein lassen, wie er ist, und seinen Willen in den unseren aufnehmen.

Heinrich Schlier

GEBET

Ich will dich noch lieben, wo meine Liebe zu dir endet.
Ich will dich noch wollen, wo ich dich nicht mehr will.

Wo ich selbst anfange, da will ich aufhören,
und wo ich aufhöre, da will ich ewiglich bleiben.

Wo meine Füße sich weigern, mit mir zu gehen,
da will ich mich einknien,
und wo meine Hände versagen,
da will ich sie falten.

Gertrud von Le Fort

Donnerstag
der dritten Adventswoche

WORT GOTTES

„Alle Leute, die Johannes hörten, auch die Zöllner, haben sich Gott unterworfen und sich von Johannes taufen lassen."

Lk 7,29

WEGWEISUNG

Nun fragen ihn, diesen Prediger eines radikalen religiösen Umbruchs und Neubeginns, die Leute, was sie denn nun eigentlich tun sollen, wenn sie dieser radikalen Botschaft gehorsam sein wollen. Und wie lautet die Antwort? „Wer zwei Gewänder hat, der gebe eines davon dem, der keins hat, und wer zu essen hat, der mache es ebenso ... (Und zu den Zöllnern:) Fordert nicht mehr, als euch erlaubt ist; (zu den Soldaten:) mißhandelt niemand, erpreßt niemand, begnügt euch mit eurem Sold."

Scheinbar lauter moralische Banalitäten, die man auch so schon weiß und die doch nicht eingeleitet werden müßten durch eine apokalyptische Drohrede.

Wie werden wir mit diesem Kontrast fertig?

Wir haben sicher alle schon die Erfahrung gemacht, daß auch die scheinbar banale Alltagsmoral mit ihren Forderungen gar nicht so leicht ist ... Der Alltag schon fordert dem Menschen, so wie er ist, der Mensch und der Alltag, viel ab.

In seiner grauen Alltäglichkeit durchhalten, kann oft schwerer sein als eine einmalige Tat, deren Heroismus sich selber zu genießen in Gefahr ist.

Ein Leben der Pflichterfüllung des Alltags, des immer wieder erneuerten Willens, anderen gerecht zu werden und gut zu sein, ein Leben, in dem der Mensch sich nicht wegen der Unbedeutendheit seiner Tage in müde Resignation versinken läßt,

... kontrastiert doch nicht mehr so eindeutig mit der radikalen Umkehrforderung des Täufers.

Aber das ist noch nicht alles ...

In tausend Weisen kann die normale Alltagsmoral, und zwar inmitten ihrer Selbstverständlichkeiten und ganz außerhalb besonderer heroischer Situationen, zu einer geheimnisvoll schrecklichen Sache werden. Sie lohnt sich nicht, sie belohnt sich nicht mehr selber.

Aber was wird denn diese Alltagstugend, mitten im Alltag bleibend, wenn sie sich nicht mehr lohnt und sich dennoch nicht, als sinnlos geworden, aufgibt? Sie wird ein Kommen vor dem Gott des Heiles und der Freude.

Gott ist der, dem man, vielleicht auch namenlos und unauffällig, begegnet, wenn man losläßt; wenn man wagt, der Dumme zu sein, ... wo man liebt, ohne zuvor schon die Gewißheit zu haben, wieder geliebt zu werden; wo man seiner Überzeugung treu bleibt, obwohl sie einem nur Nachteil einbringt; ... wo man – in einem Wort gesagt – seinem Gewissen treu bleibt.

Was sollen wir tun? fragten die Leute nach der unheimlichen Predigt des Täufers von Sünde und unausweichlichem Gericht ... Er gibt Antwort, und plötzlich sind wir durch diese Antwort da, wo wir sowieso leben und uns plagen müssen. Aber seine Antwort besagt, daß wir gerade da das Kommen des Reiches Gottes erfahren können.

Karl Rahner

GEBET

O Herr, wie verschieden sind doch deine Wege
von unseren Meinungen.
Du verlangst von einem Menschen,
der entschlossen ist, dich zu lieben
und sich dir zu überlassen, weiter nichts,
als daß er sich gut in das hineinfindet,
was du ihm aufträgst! – Denkt also daran,
daß der Herr auch in der Küche
zwischen den Töpfen umhergeht
und daß er innen und außen bei euch ist.

Teresa von Ávila

Freitag
der dritten Adventswoche

WORT GOTTES

„Jesus sprach zu den Juden: Ihr habt zu Johannes geschickt, und er hat für die Wahrheit Zeugnis abgelegt. – Er war wie eine Lampe, die brennt und leuchtet, aber ihr wolltet euch nur eine Zeitlang an seinem Licht erfreuen." Joh 5,33-35

WEGWEISUNG

Der erste Schritt ist Gottes Schritt auf uns zu, ist Weg, den Gott geht, sich überschreitend, sich verschenkend, sich mitteilend. Er spricht, er handelt. Im Vordergrund von Offenbarung und am Anfang menschlichen Glaubens steht das Handeln Gottes in diese Welt hinein, der Einbruch Gottes in diese Welt. Gottes Weg zu uns, der Weg, den Gott macht, ist das erste.

In diesem ersten aber ist ein zweites eingefaltet: Gott macht nicht nur einen Weg, sondern Gott „ist" Weg. Er begibt sich selbst auf diesen Weg und zeigt so, wer er ist: Gott des Weges, ein sich überschreitender, sich hingebender, liebender Gott, ein Gott, der in sich selber Liebe ist. Es ist sein eigenes Leben, es ist er selbst, an dem er uns Anteil gibt, indem er handelnd und offenbarend zu uns kommt.

Dies kommt aller unserer Freiheit zuvor und übertrifft all unser Können. Und doch ist es kein Geschehen, das nur an uns und über uns hinweg passiert. Es ist Geschehen, das sich uns mitteilt, indem es uns selbst auf den Weg ruft. Dies ist der Aufbruch Gottes zu uns, daß er uns selber aufbricht, damit wir aufbrechen. Der Weg, den Gott zu uns geht, der Weg, der Gott selber ist, erreicht uns, indem wir uns auf den Weg machen – dies der dritte Schritt.

Darin bereitet sich der vierte Schritt vor, der sich vom dritten nicht lösen läßt. Sicher, jeder muß aufbrechen, jeder persönlich glauben, jeder sich entscheiden, jeder den ersten Schritt tun. Aber dieser Schritt ist als Schritt auf Gott zugleich Schritt aufeinander zu, Schritt, der das glaubende Miteinander in Gang bringt und von ihm schon in Gang gebracht ist.

Doch nur wenn wir den ersten Schritt wagen, wir auf ihn zugehen, wir uns loslassen ohne vorherige Garantien und Sicherheiten, werden wir erkennen, daß sein Weg trägt, daß er uns zuvor schon entgegengekommen ist. Klaus Hemmerle

Wer sich darauf einläßt, durch sein Leben ein Stück vom Geheimnis Christi weiterzugeben, wer selbst in den Durststrekken seines Lebens auf Christus vertraut, weiß, daß diese Entscheidung mit sich bringen kann, unmerklich auf das Martyrium zuzugehen. Doch gleich was geschieht, niemals endet dieser Mensch in einem unwiderruflichen Mißerfolg: von allen Seiten in die Enge getrieben, findet er doch Raum; wird er auch niedergeschlagen, er ist doch nicht vernichtet.

Wer die Folgen des Rufs Christi bis zum Letzten auf sich nimmt, bemerkt, daß sein Herz universal wird: ohne Selbstgefälligkeit wird er allem zuhören, die Not und Verzweiflung der Menschen mittragen können. Statt sich zu verhärten, statt dem Leiden gegenüber abzustumpfen, wird er mit den Jahren im Herzen unendlich weit. Frère Roger

GEBET

Christus, du hältst einen Schatz des Evangeliums bereit,
du legst in uns eine einzigartige Gabe,
die Gabe, dein Leben um uns zu verbreiten.
Doch damit deutlich wird, daß das helle Strahlen von dir
und nicht von uns ausgeht, hast du diese unersetzliche Gabe
in Tongefäße gelegt, in die Herzen von Armen,
kommst du in die Zerbrechlichkeit unseres Daseins,
um dort zu leben, dort und nirgendwo sonst.
Ohne daß wir wüßten wie, machst du uns
zur Herrlichkeit deiner Gegenwart
mitten unter den Menschen. Frère Roger

17. Dezember

WORT GOTTES

„Stammbaum Jesu Christi, des Sohnes Davids, des Sohnes Abrahams.“

Mt 1, 1

WEGWEISUNG

Der Stammbaum, den Matthäus an den Anfang seines Evangeliums gestellt hat, zeigt Jesus als Menschen, hineinverwoben in eine menschliche Geschichte mit ihren Auf- und Abstiegen. – Als Abrahamsstammbaum ist er überdies ein Lehrstück der Treue Gottes: Die Verheißung wird durch alle Umstände hindurch eingelöst. Gott vergißt seine Zusage nicht ... Er bleibt sich treu und weiß seiner Treue durch alle Verquerungen der Menschen hindurch Weg zu schaffen ...

Dieser Stammbaum nennt auch vier Frauen aus der jüdischen Geschichte – – Frauen, die die Reinheit eines Stammbaums stören und als Makel in der Geschichte Israels galten. ... Man hat gesagt, da es sich durchweg um sündige Frauen handle, werde mit ihrer Nennung der Stammbaum zu einem Stammbaum der Gnade, die sich des Sünders annimmt und die auf der Vergebung aufbaut, nicht auf menschlicher Größe und Leistung. –

Das Besondere an diesen Frauen aber liegt daran, daß sie Nichtjüdinnen waren und daß gerade sie, die heidnischen Frauen, an den entscheidenden Wendepunkten der Geschichte Israels erscheinen, so daß sie mit Recht als die eigentlichen Stammütter des Königtums in Israel gelten dürfen: Rahab, die

* Anmerkung: Vom 17. Dezember an, ganz gleich auf welchen Wochentag er fällt, zählt der liturgische Kalender nicht mehr den Wochentag, sondern das Datum. Das auf den 4. Adventssonntag fallende Datum (so 1983 der 18. Dezember) wird jeweils überschlagen.

Dirne an der Mauer von Jericho, die Heidin Rut, Batseba, die Frau des Urias, und Tamar, die sich von Juda das ihr verweigerte Recht auf Nachkommenschaft erzwingt.

Dieser Stammbaum, der für das erste Zusehen ein reiner Abrahams- und Davidsstammbaum ist, ist durch die vier Frauen ein Stammbaum für die Kirche aus Juden und Heiden. Er verweist auf das Kommende, die Kirche der Völker. Ja, man könnte sagen: Diese vier Frauen schieben bei ihm die ganze hochwichtige Geschichte der Männer beiseite; sie sind die eigentlichen Gelenke des Stammbaums, der damit aus einem Stammbaum angeblicher männlicher Taten zu einem Stammbaum des Glaubens und der Gnade wird – auf dem Glauben dieser Frauen ruht das Eigentliche dieser Geschichte, der Fortgang der Verheißung.

Joseph Kardinal Ratzinger

GEBET

Herr Jesus Christus, du bist die Entscheidung in meinem Leben. Ich bekenne, daß du, Jesus von Nazareth, armer, demütiger Mensch, das Ewige Wort bist, das Schwert, das die ganze Menschheit zur Entscheidung zwingt. – Ich bekenne, daß du das Wort bist, durch das alles geschaffen wurde, was geschaffen ist ...

Aber noch bist du verborgen, und die Welt, die du gemacht hast, will dich nicht erkennen und aufnehmen. – Durch alle Jahrtausende der Geschichte und bis in die Heimlichkeit meines eigenen Herzens gilt das Wort, das man über dich sprach, da du als stummes Kind in den Tempel getragen wurdest: „Dieser ist gesetzt zum Fall und zur Auferstehung und zum Zeichen des Widerspruchs" (Lk 2,34).

Ich aber, o verborgener Herr aller Dinge, sage das mutige Ja des Glaubens zu dir. Wenn ich dich bekenne, so stehe ich zu dir, dem hinausgeworfenen König dieser Welt, – dem Verachteten dieser Erdengeschichte. – Dann stehe ich aber auch zu dir, dem einzigen unter den Menschen, der sagen konnte: „Vertraut, ich habe die Welt besiegt" (Jo 16,33).

Hugo Rahner

Vierter Adventssonntag

WORT GOTTES

„Maria war mit Josef verlobt; noch bevor sie in der Ehe zusammenlebten, zeigte sich, daß sie schwanger war – und zwar vom heiligen Geist. Josef, ihr Mann, der gerecht war und sie nicht bloßstellen wollte, beschloß, sich in aller Stille von ihr zu trennen. Während er noch darüber nachdachte, erschien ihm ein Engel des Herrn." Mt 1, 18–20

WEGWEISUNG

Josef ist der Mann am Rande, im Schatten. Der Mann der schweigenden Hilfestellung und Hilfeleistung. Der Mann, in dessen Leben Gott dauernd eingreift mit neuen Weisungen und Sendungen. Die eigenen Pläne werden stillschweigend überholt. Immer neue Weisung und neue Sendung, neuer Aufbruch und neue Ausfahrt. Er ist der Mann, der sich eine bergende Häuslichkeit im stillen Glanze des angebeteten Herrgotts bereiten wollte und der geschickt wurde in die Ungeborgenheit des Zweifels, des belasteten Gemütes, des gequälten Gewissens, der zugigen und windoffenen Straßen, des unhäuslichen Stalles, des unwirtlichen fremden Landes. Und er ist der Mann, der ging.

Das ist sein Gesetz: die dienstwillige Folgsamkeit; der Mann, der dient. Daß ein Wort Gottes bindet und sendet, war ihm selbstverständlich, weil er ein Mann war, der bereitet, zugerüstet war zu Anrufen Gottes und der bereit war. Die dienstwillige Bereitschaft, das ist sein Geheimnis.

Und das ist zugleich seine Botschaft an uns und sein Gericht über uns. Ach, wie waren wir stolz und selbstsicher und anmaßend. Wie haben wir den Herrgott in die Grenzen und Schranken unserer Nützlichkeit, unserer Eigenart, unseres Empfindens, unserer Selbstverwirklichung usw. eingesperrt und eingeengt. Gott wurde wie alles Höhere und Geistige und Heilige nur insoweit anerkannt, als er uns bestätigte und uns in unserem Eigensinn und Eigenwillen förderte.

Das alte Paulusgebet: „Herr, was willst du, daß ich tun soll?", die schweigende dienstwillige Bereitschaft des Mannes Josef werden uns wahrer und so wirklicher und freier machen.

Alfred Delp

Wir können sagen: Joseph erkennt den himmlischen Ursprung des Geschehens und des Kindes und will sich *darum* als Fremder und Unbeteiligter zurückziehen, er will nicht die für sich in Anspruch nehmen, die Gott für sich in Anspruch genommen hat.

Durch die Engelserscheinung wird Joseph zu dem bestellt, was er von seiner Verlobung her gerade nicht wäre: zum Gemahl *dieser* Jungfrau, zum Vater *dieses* Kindes: er wird in die Heilsgeschichte als solche hineingenommen, er erhält wirklich von oben den Heiland der Welt für uns anvertraut. Er ist der Bewahrer und Hüter des Sohnes, der von oben ist. Er ist es durch himmlischen Auftrag, den er im Glaubensgehorsam annimmt. Während Joseph das „Gezeugtsein aus heiligem Geist" als Grund betrachtete, der es ihm zur Pflicht der Gerechtigkeit macht, sich zurückzuziehen, erklärt der Engel eben diesen Umstand als Grund der Pflicht, zu bleiben: Das Heilige muß behütet werden, es soll in der ehelichen Liebe und Gemeinsamkeit von Maria und Joseph geborgen sein.

Auch sind wir oft zu Hütern des Heiligen berufen, das da in der Welt aus ihrem dunklen Schoß herausgeboren werden soll. Zu Hütern in uns selbst, in unserem Leben, in unserem Beruf und unserer Arbeit. Scheinbar spielen sich da nur die Dinge des Alltags ab, die nichts mit der heiligen Geschichte des Reiches Gottes und des Heiles der Welt zu tun haben ...
Aber, wenn auch nicht enthüllt und offenbar gemacht, verborgen soll und kann auch unser Leben Heilsgeschichte, Geschichte des Reiches Gottes und des Sieges der Gnade, Geburt Christi im Fleisch, Bewahrung und Hut des Heiligen sein wie in der Geschichte Josephs. Scheinbar knüpfen wir nur auf ei-

gen gut Glück und aus eigenem Entschluß Bande und Beziehungen des Lebens, der Bekanntschaft, der Liebe und des Berufes. Im Grund aber sind wir darin die Berufenen und Begnadeten, die Hüter des Heiligen in Glaube, Starkmut, Treue und Gehorsam wie Joseph. Die irdische Liebe wird zum Sakrament und die Ehe zum Ursprung eines ewigen Schicksals voll der Herrlichkeit der Gnade. Uns erscheint kein Engel vom Himmel, der uns diesen himmlischen Auftrag deutet.

Und dennoch ist auch uns durch die ebenso himmlische Botschaft des Glaubens, des Evangeliums derselbe Auftrag zuteil geworden, wenn auch uns nicht offenbar gemacht wurde durch dieselbe Stimme, daß wir ihn wirklich auch angenommen haben. Durch nur scheinbar irdische Ereignisse und Verhältnisse ist uns das Himmlische und Göttliche, Gottes Gnade, ihr Fortbestand und Sieg in unserem eigenen Herzen und in unserer irdischen Umgebung anvertraut. Überall lebt der Sohn Gottes, der Mensch wurde, sein Leben weiter. Karl Rahner

GEBET

Heiliger Josef,
du Heiliger des vertrauensvollen Gehorsams,
du hast dasselbe erfahren,
was vielen von uns auch heute schwer wird:
das Leben in Unsicherheit und Angst,
Wohnungsnot und Fremde.
Ja selbst die Flucht bei Nacht und Nebel
und die bittere Sorge um den verlorenen Sohn
blieb dir nicht erspart.
Lehre uns, gleich dir an Gottes Vaterliebe nicht irre zu werden,
das, was wir nicht verstehen,
mit glaubendem Herzen zu bejahen,
und jedem Anruf Gottes ohne Zögern und treu zu gehorchen.

Du Heiliger des getreuen Dienstes,
du hast in täglicher Arbeit und Mühe
das Brot verdient für die Familie,
die Gott dir anvertraut hat,
und durftest gerade in diesem schlichten Dienen

ganz nahe mit deinem Pflegesohn zusammenleben.
Hilf auch uns, die Pflichten unseres Alltags
zu lieben und treu zu erfüllen.
Laß im Dienst unserer Familie
keine Arbeit uns zu gering oder zu mühevoll sein;
hilf uns,
die Gewöhnlichkeit unseres Tagewerks zu heiligen,
wie du sie geheiligt hast.
Lehre uns,
liebevoll für einander zu sorgen,
wie du für die heilige Familie gesorgt hast,
damit wir durch dich und deine heilige Braut
zur Gemeinschaft mit deinem göttlichen Pflegesohn gelangen.

aus „Gotteslob" (Eichstätt, 1952)

19. Dezember

WORT GOTTES

„Der Engel sagte: Fürchte dich nicht, Zacharias! ... Deine Frau Elisabeth wird dir einen Sohn gebären, den sollst du Johannes nennen. ... Er wird mit dem Geist und der Kraft des Elija dem Herrn vorangehen, um die Väter mit den Kindern zu versöhnen und die Ungehorsamen zur Gerechtigkeit zu führen und so das Volk für den Herrn bereitmachen." Lk 1,13.17

WEGWEISUNG

Sie sind miteinander alt geworden. Alt an Jahren und alt im Gemüte. Denn die Freude einer aufblühenden Kinderschar, das Jungbleiben mit dem wachsenden jungen Leben war ihnen versagt geblieben, so sehr sie auch um einen Sohn gebetet hatten. Damit sind sie ausgeschlossen aus der unmittelbaren Nähe und einer verwandtschaftlichen Beziehung zum kommenden Messias. Daß dieses bittere Schicksal ausgerechnet den Priester und die Frau aus dem Geschlechte Aarons getroffen hatte, vermehrt ihre Schmach vor den Menschen. Gewiß, sie murren nicht wider Gott, aber ihr Leben ist eingetaucht in die müde Eintönigkeit der Hoffnungslosigkeit, ohne Glanz und ohne Freude.

Und wie eines Tages, da Zacharias wieder seinen Dienst im Tempel tut, der Engel erscheint und ihm einen Sohn ankündigt, zuckt er müde die Schultern: „Woran soll ich das erkennen? Ich bin ein alter Mann, und mein Weib ist weit vorgerückt in ihren Jahren."

Der Gottesbote zürnt; Zacharias wird stumm sein, bis sich die Verheißung erfüllt hat. Aber sie bleibt in Kraft.

Zacharias kehrt nach Hause zurück, erschüttert von der Begegnung mit dem Göttlichen und voll Schmerz über seinen Unglauben und dessen Strafe. Das steht nun wie eine Fremdheit zwischen ihm und Elisabeth. Und doch ist in ihnen gleichzeitig eine tiefere, unaussagbare Gemeinsamkeit der Erwartung.

Diese Erwartung aber wächst auch in uns, und um so mehr, je näher wir Weihnachten kommen. Alice Scherer

Gott sucht den Frieden mit uns. Das ist ja gerade der Inhalt der Adventsbotschaft: nicht nur daß der Mensch Gott sucht, sondern daß Gott den Menschen sucht. Daß Gott sich den Weg bahnen will zum Menschenherzen, daß er mitten hineinkommen will in unsere Welt und unser Leben. Wir haben nur die Aufgabe, ihm den Weg zu bereiten und ihn aufzunehmen. Gott reicht uns wieder die Hand zur Versöhnung – und unsere Aufgabe ist es nur, diese Hand zu ergreifen und festzuhalten!

Was das für den einzelnen bedeutet, was in meinem Leben dem Kommen Gottes im Wege steht, was zwischen mir und Gott steht und den Frieden stört – das muß jeder für sich in einer stillen Stunde zu finden suchen. Aber wir werden es nur finden, wenn wir auch die radikale Bereitschaft haben, alles wegzuräumen oder uns von Gott aus der Hand nehmen zu lassen, was ihm im Wege steht. Theo Gunkel

GEBET

Gepriesen sei der Herr, der Gott Israels!
Denn er hat sein Volk besucht und ihm Erlösung geschaffen.

Und du, Kind, wirst Prophet des Höchsten heißen;
denn du wirst dem Herrn vorangehn
und ihm den Weg bereiten.

Du wirst sein Volk mit der Erfahrung des Heils beschenken
in der Vergebung der Sünden.

Durch die barmherzige Liebe unseres Gottes
wird uns besuchen das aufstrahlende Licht aus der Höhe,

um allen zu leuchten, die in Finsternis sitzen und im Schatten des Todes,
und unsere Schritte zu lenken auf den Weg des Friedens.

aus dem Benedictus, dem Lobgesang des Zacharias nach der Geburt des Johannes

20. Dezember

WORT GOTTES

„Der Engel trat bei ihr ein und sagte: Sei gegrüßt, du Begnadete, der Herr ist mit dir! – Da sagte Maria: Ich bin die Magd des Herrn; mit mir geschehe, was du gesagt hast." Lk 1,28.38

WEGWEISUNG

Der Engel wartet auf Antwort; denn es ist Zeit, daß er zu Gott zurückkehrt, der ihn gesandt hat. Herrin, auch wir warten auf das Wort des Erbarmens, wir, auf denen das Todesurteil lastet.

Siehe, dir ist der Preis unserer Erlösung angeboten. Wir werden sofort befreit, wenn du zustimmst. Im ewigen Wort Gottes sind wir alle geschaffen, wir, die wir sterben müssen. Durch ein kurzes Wort von dir sollen wir neu geschaffen und dem Leben zurückgegeben werden.

Der ganze Erdkreis liegt dir zu Füßen und wartet auf deine Antwort.

Gib unverzüglich deine Antwort, heilige Jungfrau, antworte dem Engel, antworte ohne Zögern durch den Engel dem Herrn. Antworte und empfange das Wort. Sag dein Wort und nimm das göttliche Wort entgegen! Sprich das vergängliche Wort und umfange das ewige!

Heilige Jungfrau, öffne das Herz dem Glauben, öffne die Lippen dem Bekenntnis, öffne deinen Schoß dem Schöpfer. Siehe, der, „nach dem sich die Völker sehnen" (Hag 2,8), steht vor der Tür und klopft an. Mach dich im Glauben auf, eile in Liebe und öffne ihm durch dein Wort!

Und sie sagt das Wort: „Siehe, ich bin die Magd des Herrn; mir geschehe nach deinem Wort!" (Lk 1,38).

Bernhard von Clairvaux

Das Ja-Wort der Jungfrau als Anfang des Allen verkündeten Heils Gottes geht uns alle an.

Maria ist bereit für den Engel, für die Botschaft aus dem Geheimnis Gottes. Und wir? Bei uns bleibt für die Bereitschaft für Gottes Ruf oft nicht viel übrig.

Das gilt besonders auch für das, was schwer und dunkel ist und das Herz bedrängt, belastet und betrübt.

– Werden wir dann auch, wie Maria, Ja sagen können? –

Wir wollen uns nichts vormachen. So einfach wird das nicht immer sein. – Wir brauchen gewiß auch den verborgenen, helfenden, stärkenden Zuspruch Gottes; er kann lauten wie das Wort des Engels zu Maria: Fürchte dich nicht.

Aber wenn es uns geschenkt würde und wenn wir uns dazu durchgerungen und aufgeschwungen haben zum stillen großen Ja des Glaubens und der Zuversicht angesichts dessen, was aus Gottes verborgenem Herzen täglich auf uns zukommt, dann ist es wie eine große Befreiung ... Dann können wir mutig und klar in die Zukunft blicken und aus dem Grunde unseres Herzens sprechen: Ja, Herr, ich komme, mir geschehe nach deinem Wort.

Und das wird dann wohl auch für uns persönlich der Anfang einer neuen Geschichte sein. Sie wird gewiß nicht leicht sein. – Aber wir dürfen aus dem Ja des Glaubens und des Vertrauens heraus dessen gewiß sein, daß diese ganze Geschichte, hell und dunkel zugleich, wie sie sein wird, eine Heilsgeschichte ist und daß aus alledem zuletzt etwas Gutes, zuletzt etwas Wunderbares, zuletzt etwas österlich Helles für uns bereitet wird.

Bernhard Welte

GEBET

Freu dich, Maria, Mutter des Herrn, weil du die gute Botschaft empfangen hast.

Selig sind jene, die das Wort Gottes hören und es leben.

Freu dich, Maria, demütige Magd des Herrn, weil du an seine Verheißung geglaubt hast.

Selig sind jene, die das Wort Gottes hören und es leben.

Carlo Carretto

21. Dezember

WORT GOTTES

„Als Elisabeth den Gruß Marias vernahm, regte sich das Kind in ihrem Schoß. Da wurde Elisabeth vom heiligen Geist erfüllt und rief mit lauter Stimme: Gesegnet bist du unter den Frauen, und gesegnet ist die Frucht deines Leibes. Selig, die du geglaubt hast!“ Lk 1,41–42

WEGWEISUNG

Als Johannes sich regte, wurde Elisabet (mit dem Heiligen Geist) erfüllt. Von Maria aber erfahren wir, daß ihr Geist jubelte, nicht, daß der Geist sie erfüllte, denn der Unfaßbare wirkte schon unfaßbar in der Mutter. Jene wird erfüllt, nachdem sie das Kind empfangen hat, diese schon vorher: „Selig, die geglaubt hat.“

Selig aber auch ihr, die ihr gehört und geglaubt habt; denn jeder, der glaubt, empfängt und gebiert das Wort Gottes und erkennt seine Werke.

In jedem einzelnen lebe die Seele Marias und preise die Größe des Herrn; in einem jeden lebe der Geist Marias und jubele über Gott; wenn nach dem Fleisch auch nur eine die Mutter Christi ist, so ist Christus doch dem Glauben nach die Frucht aller. Denn jeder empfängt das Wort Gottes. Doch muß er rein sein und, gefeit gegen die Sünde, in unversehrter Reinheit die keusche Zucht bewahren.

Jede Seele, die das vermag, preist die Größe des Herrn, und ihr Geist jubelt über Gott, ihren Retter, wie Maria. Ambrosius

Elisabeth preist Maria selig, weil sie geglaubt hat, daß in Erfüllung gehen wird, was ihr vom Herrn gesagt worden ist. Die

Antwort Mariens, das Magnificat, sagt ihr eigenes Leben, aber sagt es mit lauter Worten der alttestamentlichen Überlieferung. Maria sagt sich selbst aus, indem sie Gottes Wort sagt. Ihr eigenes Geheimnis ist kein anderes als das des Wortes Gottes, das in ihr, in ihrem Leben Raum und Gestalt gewinnt. Zuvorkommender, tragender, Gott den Ansatzpunkt seines Wirkens in der menschlichen Geschichte eröffnender Glaube – Mitgehen mit dem Willen Gottes über die Grenzen des eigenen Interesses und Verstehens hinaus in reiner Verfügbarkeit und Werkzeuglichkeit, somit gerade Mittun seines Heilswerkens für die anderen – Treue auch im Glaubensdunkel, in dem tiefste Gemeinschaft mit dem Kreuz und seiner Fruchtbarkeit erwächst – Einholung des Wortes Gottes, Wiederholung durch das Leben, Fleischwerdung im eigenen Leben: das ist Nachfolge, abgelesen an Maria.

Klaus Hemmerle

GEBET

Wir preisen dich, Vater, Urquell alles Lebens und alles Lichtes, für dein größtes Geschenk: Du hast uns Jesus Christus, deinen Sohn, geschenkt und in ihm alles, in ihm, der einer von uns wurde, dem Sohn Mariens. Wir danken dir, daß du Maria einen so reinen, starken und freudigen Glauben geschenkt hast, daß sie unter allen Boten des Heiles einen ausgezeichneten Platz einnimmt, das Urbild des Glaubens.

Mit Elisabeth und der ganzen Kirche preisen wir den Glauben Mariens. Wir preisen dich, Vater, den Geber aller guten Gaben, und den Heiligen Geist, der den Glauben in unseren Herzen wirkt.

Wir bitten dich, Vater: Vermehre unseren Glauben, daß wir alle im Glauben gesegnet seien, all unser Vertrauen auf dich setzen und wie Maria unser Leben auf deine Verheißungen gründen.

Bernhard Häring

22. Dezember

WORT GOTTES

„Maria sprach: Meine Seele preist die Größe des Herrn, und mein Herz ist voll Freude über Gott, meinen Retter.“ Lk 1,46.47

WEGWEISUNG

In Maria bricht die Fülle der messianischen Freude durch, und sie wird der bevorzugte Bote der Frohbotschaft. Ihr Glaube ist frohlockende Freude und Kraft im Heiligen Geiste. Und jene, die eine liebende Beziehung zu Maria aufnehmen, werden eine ähnliche Glaubensfreude erfahren. Bernhard Häring

Advent ist nicht nur Zeit der Gegenwart und der Erwartung des Ewigen; weil er beides ist, ist er in besonderer Weise Zeit der Freude, und zwar einer verinnerlichten Freude.

Da steht im Psalm 95 das Wort: Alle Bäume des Waldes werden jubeln vor dem Angesicht Gottes, denn er kommt. Die Liturgie hat das ausgeweitet zu dem Satz: Berge und Hügel werden lobsingen vor Gott, und alle Bäume des Waldes werden in die Hände klatschen, denn es kommt der Herr.

Die geschmückten Bäume der Weihnachtszeit sind nichts anderes als der Versuch, dieses Wort schaubar wahr zu machen: der Herr *ist* da – so glaubten und wußten es unsere Ahnen; also müssen die Bäume ihm entgegengehen. Und „das Singen der Berge“ tönt bis in unsere Zeit herein.

Selbst ein scheinbar so äußerlicher Brauch wie das Weihnachtsgebäck hat seine Wurzel in der Adventsliturgie der Kirche, die in diesen Tagen des sinkenden Jahres das herrliche Wort des Alten Testaments aufnimmt: An jenem Tag werden die Berge Süßigkeit träufeln, und die Flüsse werden Milch und

Honig führen. In solchen Worten hatten die Menschen damals den Inbegriff ihrer Hoffnungen auf eine erlöste Welt ausgedrückt. Wenn Gott in der Weihnacht kommt, teilt er gleichsam den Honig aus. Da ist alle Bitterkeit verschwunden, da stimmen Himmel und Erde, Gott und Mensch überein, und der Honig, das Honiggebäck, ist Zeichen dieses Friedens, der Eintracht und der Freude.

So ist Weihnachten zum Fest des Schenkens geworden, an dem wir den Gott nachahmen, der sich selber geschenkt und uns damit das Leben noch einmal gegeben hat.

Vielleicht sollten wir Advent gerade dadurch begehen, daß wir ohne Widerstand die lieben Zeichen dieser Zeit uns in die Seele dringen lassen, und dann voll Vertrauen die unermeßliche Güte des Kindes annehmen, das allein die Berge singen machen konnte und die Bäume des Waldes in Lobpreis verwandelt hat.

Joseph Kardinal Ratzinger

GEBET

Meine Seele preist die Größe des Herrn,
und mein Geist jubelt über Gott, meinen Retter.
Denn auf die Niedrigkeit seiner Magd hat er geschaut.
Siehe, von nun an preisen mich selig alle Geschlechter.
Denn der Mächtige hat Großes an mir getan,
und sein Name ist heilig.
Er erbarmt sich von Geschlecht zu Geschlecht
über alle, die ihn fürchten.
Er vollbringt mit seinem Arm machtvolle Taten:
Er zerstreut, die im Herzen voll Hochmut sind;
er stürzt die Mächtigen vom Thron
und erhöht die Niedrigen.
Die Hungernden beschenkt er mit seinen Gaben
und läßt die Reichen leer ausgehen.
Er nimmt sich seines Knechtes Israel an
und denkt an sein Erbarmen,
das er unsern Vätern verheißen hat,
Abraham und seinen Nachkommen auf ewig.

Magnifikat (Lk 1, 46–55)

23. Dezember

WORT GOTTES

„Plötzlich kommt zu seinem Tempel der Herr ... Dann kommt der Bote des Bundes ... Seht, er kommt. Doch wer erträgt den Tag, an dem er kommt? Wer kann bestehen, wenn er erscheint? Denn er ist wie das Feuer des Schmelzers und wie die Lauge der Wäscher." Mal 3, 1–3

WEGWEISUNG

Von dem zweimaligen Kommen spricht der Prophet Maleachi: „Plötzlich kommt der Herr zu seinem Tempel, der Herr, den ihr sucht." Damit ist das erste Kommen gemeint. Dann sagt er von dem zweiten Kommen: „Dann kommt der Bote des Bundes, den ihr herbeiwünscht. Seht, er kommt! – spricht der Herr der Heere. Doch wer erträgt den Tag, an dem er kommt?"

Diese zweite Ankunft wird das Diadem göttlicher Herrlichkeit tragen. Bei seinem ersten Kommen lag er in Windeln gewickelt in der Krippe; beim zweiten wird er in Licht gekleidet sein wie in ein Gewand. Beim ersten trug er das Kreuz und wehrte sich nicht gegen die Schmach; wenn er das zweitemal kommt, umringt und verherrlicht ihn die Heerschar der Engel.

Darum halten wir uns nicht nur an sein erstes Kommen, sondern erwarten auch das zweite. Mit den Engeln werden wir dem Herrn entgegenziehen, ihm huldigen und rufen: „Hochgelobt sei, der da kommt im Namen des Herrn." Cyrill von Jerusalem

Es gibt eine andere Ankunft des Herrn, die, welche wir „Wiederkunft" nennen. Seine Ankunft in die Nähe können wir immer wieder durch sein uns angehendes Wort und seine wirksamen Zeichen erfahren, solange die Frist dieser Zeit dauert. Sein Heraustreten aus der Nähe in das Da und Hier und aus der Verborgenheit in die Offenheit, seine gegenwärtige, offenbare und endgültige Erscheinung in Macht ist eine einmalige, die Welt beendende, unverhüllte, endgültig entscheidende Grenzerfahrung des Kosmos. Der Apostel Paulus spricht von ihr in der Sprache der jüdischen Apokalyptik. Dieser kommende „Tag des Herrn" wird sonst etwa „der Tag (Jesu) Christi", „der große Tag", auch „jener Tag", „der letzte Tag" oder einfach „der Tag", der Tag schlechthin, genannt.

Es ist sein Tag, den seine Anwesenheit schafft, in dem seine Macht und Herrlichkeit aufgehen. Es ist also ein Tag, den nicht mehr wir bestreiten, sondern an dem wir uns nur noch zu verantworten haben, den wir nur noch entgegennehmen. Er ist der Verfügung unseres Zeit- und Weltverlaufes entnommen, und er verfügt sich selbst, oder auch: Gott verfügt ihn als seine „rechte Zeit".

Niemand und nichts kann diesen Augenblick der Ankunft Jesu Christi bestimmen, kein Weltgesetz und Weltprozeß, keine Regel der Geschichte, kein Wille oder Un-wille der Menschheit kann ihn hervorrufen. Aber niemand und nichts kann auch die Ankunft der Zeit Gottes hindern. Heinrich Schlier

GEBET

Gott, allmächtiger Vater,
frohen Herzens dürfen wir Jahr für Jahr
die Feier unserer Erlösung erwarten.
In dieser Freude nehmen wir deinen Eingeborenen auf
als unseren Heiland:
gib, daß wir einstens,
wenn er als Richter kommt,
ihn voll Zuversicht schauen. Tagesgebet (der früheren Liturgie)

Heilige Nacht

WORT GOTTES

„Das Volk, das im Finstern lebt, schaut ein großes Licht."

Jes 9, 1

WEGWEISUNG

Wach auf, du Mensch! Gott ist für dich Mensch geworden. „Wach auf, du Schläfer, und steh auf von den Toten, und Christus wird dein Licht sein." Ja, Gott ist Mensch geworden für dich. Auf ewig wärest du tot, wäre Gott nicht in der Zeit geboren worden. Wenn er nicht die Gestalt des Fleisches angenommen hätte, „der Macht der Sünde unterworfen", nie wärest du frei geworden vom Joch des Fleisches, von der Sünde.

Gott ist Mensch geworden, um den Menschen zu vergöttlichen. Der Herr der Engel ist heute ein Mensch geworden, damit der Mensch das Brot der Engel essen kann.

Heute ist das Gebet des Propheten erfüllt: „Tauet, ihr Himmel, von oben; ihr Wolken, regnet Gerechtigkeit! Die Erde tue sich auf und bringe den Retter hervor!" Der Schöpfer wird zum Geschöpf, damit wiedergefunden werde, der verloren war. Der Mensch sündigte und wurde schuldig. Gott wurde als Mensch geboren, um den Schuldigen zu erlösen. Der Mensch fiel, aber Gott stieg herab. Erbärmlich fiel der Mensch, aber voll Erbarmen kam Gott hernieder. Der Mensch fiel durch Stolz, Gott kam herab in Gnaden.

Laßt uns mit Freude das Kommen unseres Heils und unserer Erlösung feiern. Laßt uns den Festtag begehen. Denn der große, ewige Tag ist aus dem großen und ewigen Tag in diesen unseren kurzen irdischen Tag gekommen. Er ist uns Gerechtigkeit geworden, Heiligung und Erlösung.

Augustinus

Dies ist die Nacht, da mir erschienen,
des großen Gottes Freundlichkeit;
das Kind, dem alle Engel dienen,
bringt Licht in meine Dunkelheit,
und dieses Welt- und Himmelslicht
weicht hunderttausend Sonnen nicht.

Laß dich erleuchten, meine Seele,
versäume nicht den Gnadenschein!
Der Glanz in dieser kleinen Höhle
streckt sich in alle Welt hinein;
er treibet weg der Höllen Macht,
der Sünde und des Todes Nacht.

In diesem Lichte kannst du sehen
das Licht der klaren Seligkeit;
wenn Sonne, Mond und Stern vergehen,
vielleicht in noch gar kurzer Zeit,
wird dieses Licht mit seinem Schein
dein Himmel und dein alles sein.

Kaspar Friedrich Nachtenhöfer

Es ist stille, heilige Nacht. Für uns aber nur, wenn wir die heilige Stille dieser Nacht in unseren inneren Menschen hineinlassen, wenn auch unser Herz „einsam wacht". – Solche Einsamkeit und Stille ist leicht. Wir sind ja einsam. Denn es gibt ein inwendiges Land in unserm Herzen, wo wir allein sind, wo niemand hinfindet als Gott.

Treten wir da leise ein! Schließen wir die Tür hinter uns zu! Lauschen wir der unsagbaren Melodie, die im Schweigen dieser Nacht ertönt. Die stille und einsame Seele singt hier dem Gott des Herzens ihr leisestes und innigstes Lied. Und sie kann vertrauen, daß er es hört.

Weil Weihnachten ist, weil das Wort Fleisch wurde, darum ist Gott nahe, und das leiseste Wort in der stillsten Kammer des Herzens, das Wort der Liebe findet sein Ohr und sein Herz. Und der bei sich selbst, auch wenn es Nacht ist, Eingekehrte vernimmt zu dieser nächtlichen Stille in der Tiefe des Herzens Gottes leises Wort der Liebe.

Das Letzte wird nur im Schweigen der Nacht gesagt, seitdem durch des Wortes gnadenvolle Ankunft in unserer Nacht des Lebens Weihnacht, heilige Nacht, stille Nacht geworden ist.

Karl Rahner

Laßt uns zur Zimbel helle Lieder singen! Der Heroldsruf der Propheten verstummt, die Erscheinung Christi leuchtet herauf. Der, dessen Ankunft unter den Sterblichen sie verkündeten, der wird in der heiligen Höhle geboren und liegt als Kind in der Krippe.

Betlehem, rüste dich, Eden, tu dich auf, Land Juda, schmücke dich! Die Himmel sollen sich freuen, jubeln die Menschen; denn das Leben selber liegt in der Krippe, der Reiche in der Grotte, er ist gekommen, durch die Fülle seines Erbarmens der Armut Adams wieder aufzuhelfen, ohne sich zu ändern oder zu vermischen.

Wort Gottes, gib mir den Frieden, du Freund der Menschen.

Hymnus der Ostkirche

GEBET

Herr, unser Gott,
in dieser hochheiligen Nacht
ist uns das wahre Licht aufgestrahlt.
Laß uns dieses Geheimnis
im Glauben erfassen und bewahren,
bis wir im Himmel
den unverhüllten Glanz deiner Herrlichkeit schauen. Tagesgebet

Weihnachten
In der Morgenfrühe

WORT GOTTES

„Der Engel sprach zu den Hirten: Heute ist euch der Retter geboren: der Christus, der Herr. Und dies soll euch als Zeichen dienen: ihr werdet ein Kind finden, in Windeln gewickelt und in einer Krippe liegend. – Als die Engel von den Hirten fort in den Himmel zurückgekehrt waren, sagten diese zueinander: Kommt, wir gehen nach Bethlehem."

Aus dem Evangelium der Hirtenmesse: Lk 2, 11–12. 15

WEGWEISUNG

Die Hirten glaubten der Botschaft des Engels, daß dort eine große Freude auf sie und alles Volk in Bethlehem warte.

„Und sie gingen eilends hin." Entschlossen brachen sie auf. Nichts konnte sie mehr zurückhalten. Als aber die Hirten zu dem Kind traten, da schwang sich ihr Glaube gleichsam empor, und ihre Augen, voll Licht noch des Engels, und ihr Ohr, erfüllt noch vom Schall seines Wortes, erkennen hier, „was kein Auge gesehen und kein Ohr gehört hat, was in keines Menschen Herz gedrungen, was Gott aber bereitet hat denen, die ihn lieben". Sie erkennen in dem armen frierenden Kind in der Krippe den Herrn und Erretter der Welt und beten ihn an.

Verborgen in das Dunkel ist sein Glanz, verhüllt in die Schwachheit ist seine Macht. Aber die Hirten sehen im Glauben in das Verborgene und durch die Hülle hindurch. Sie sehen, dieses Dunkel ist Licht, und diese Ohnmacht ist Kraft, und dieses Kind ist Gott.

Und dieser Stall in der Höhle ist nun der Anfang der neuen Welt, und sie, die Hirten, die da hergelaufen waren von ihren Herden weg durch das Dunkel der Nacht, Augen und Ohren aber voll Gottes Wort und Scheinen, sie sind nun die ersten

Priester, die anbeten im Geist und in der Wahrheit, und können nun auch die ersten Prediger sein, die das Kind als den Herrn verkünden.

Nun haben sie wirklich gesehen, was der Engel ihnen verheißen hatte, und auch gesagt, was er zu ihnen gesprochen.

Dieses Hirtenamt ist aus. Nun kehren sie wieder zu ihren Herden zurück. Ihnen ist ja nicht die Pflege des Kindleins anvertraut, nur sein Gedächtnis. Und so wandern sie wieder zu den Tälern und Hügeln, wo ihre Schafe weiden. Aber sie kommen anders zurück, als sie gegangen waren. „Die Hirten kehrten zurück und lobten und priesen Gott für alles, was sie gehört und gesehen hatten, so wie es ihnen gesagt worden war." Sie sind nicht mehr dieselben, und auch die Welt ist nicht mehr dieselbe wie vor ein paar Stunden. Gott ist jetzt bei ihnen.

Loben wir die Hirten, loben wir mit ihnen das Kind! Hören wir mit ihnen gehorsam das Engelsevangelium! Eilen wir zum Kind in der Krippe und beten wir es an! Öffnen wir mit ihnen unseren verschlossenen Mund! Danken wir auch mit ihnen alle Tage Gott, daß er uns „heute" seine Freude bereitet! Feiern wir mit den Hirten das Hirtenamt in der Zeit der Morgenröte dieser Welt, „bis der Tag anbricht und der Morgenstern aufgeht in unserem Herzen."

Heinrich Schlier

Wie kommen die Windeln ins Evangelium? – Warum werden sie eigens, beinahe betont, erwähnt, – ausgerechnet in dieser Heiligen Geschichte? – Was haben sie im Evangelium zu suchen, wo doch sonst jedes Wort von *Sinn* wie befrachtet ist?

Wir dürfen davon ausgehen, daß das *Zeichen,* von dem der Engel spricht, Zeichen in einem tieferen Sinn ist – daß in diesem Zeichen sichtbar und anschaulich wird, was da heute geschehen ist.

Der Engel ist eine einzige zeigende Gebärde. Jetzt ist es an uns, dieses Zeichen zu betrachten, uns immer mehr hineinzuversenken.

Da sehen wir etwa auf alten Darstellungen der Grablegung Jesu, daß der Maler das Grabtuch eigentümlich behandelt hat.

Der Leib des Toten ist darin eingebunden, ja umwickelt. Die Anspielung auf das Kind in der Krippe ist offenbar – beides gehört zusammen: Geburt ist Sterbens Anfang – der Tod des Lebens Aufgang! Und hier wie dort erscheint Christus in der Situation des Gebundenen, Bewegungsunfähigen – an dem, mit dem etwas geschieht. Ohnmächtig wird der Allmächtige: das Kind in der Krippe – Jesus am Kreuz, im Tod, im Grab. Schwach wird *er,* um die auf ihre Eigenmacht selbstmächtig Vertrauenden aus dem Unheil zurückzuholen, in das sie sich verrannt haben. Binden läßt er sich, um die in die Fesseln ihres Ich Verstrickten zu lösen. In *Windeln* sieht man *den,* der als *Retter* erschienen ist.

Gertrude und Thomas Sartory

GEBET

Mit Windeln lässest Du Dich umwickeln, um die Fesseln meiner Sünde zu lösen: Du einzig Guter, einziger Menschenfreund.

Deshalb rühme ich Dich und falle nieder in unfaßlicher Freude vor Deiner Ankunft im Fleische, durch welche ich erlöst worden bin.

aus der Liturgie der Ostkirche

Weihnachten
Am Tage

WORT GOTTES

„Das wahre Licht, das jeden Menschen erleuchtet, kam in die Welt. Er war in der Welt, und die Welt ist durch ihn geworden, aber die Welt erkannte ihn nicht. Er kam in sein Eigentum, aber die Seinen nahmen ihn nicht auf. Allen aber, die ihn aufnahmen, gab er die Macht, Kinder Gottes zu werden, allen, die an seinen Namen glauben.

Und das Wort ist Fleisch geworden und hat unter uns gewohnt."

Aus dem Evangelium der Messe vom Tage: Joh 1,9–12. 14

WEGWEISUNG

Laßt uns froh sein: Heute ist unser Retter geboren, Traurigkeit hat keinen Raum am Geburtstag des Lebens, das uns die Angst vor dem Sterben genommen hat und uns die Freude über die verheißene Ewigkeit bringt.

Niemand wird von der Fröhlichkeit ausgeschlossen, alle haben den einen Grund zur Freude gemeinsam: Denn unser Herr, der Sünde und Tod vernichtet hat, fand keinen, der von Schuld frei war. Deshalb kam er, um alle zu befreien. Der Heilige jubele, weil ihm die Siegespalme winkt. Der Sünder freue sich, weil er zur Versöhnung eingeladen ist. Der Heide atme auf; denn er ist zum Leben gerufen.

Die Fülle der Zeit ist gekommen, die Gottes unerforschlicher Ratschluß festgesetzt hat: Der Sohn Gottes hat die Natur des Menschengeschlechts angenommen, um sie mit ihrem Schöpfer zu versöhnen und den Urheber des Todes, den Teufel, durch eben jene Natur zu besiegen, durch die er einst selbst gesiegt hat.

Laßt uns also Gott dem Vater danken durch seinen Sohn im Heiligen Geist, daß er uns in seiner übergroßen Huld geliebt und sich unser erbarmt hat; wir waren durch unsere Sünden tot, aber er hat uns zusammen mit Christus wieder lebendig gemacht, um uns in ihm zu einer neuen Schöpfung, zu einem neuen Menschen zu machen. Laßt uns also den alten Menschen mit seinen Werken ablegen, und da wir an der Geburt Christi teilhaben, laßt uns den Werken des Fleisches entsagen.

Christ, erkenne deine Würde! Du bist der göttlichen Natur teilhaftig geworden, kehre nicht zu der alten Erbärmlichkeit zurück und lebe nicht unter deiner Würde. Denk an das Haupt und den Leib, dem du als Glied angehörst! Bedenke, daß du der Macht der Finsternis entrissen und in das Licht und das Reich Gottes aufgenommen bist. Leo der Große

„Heute ist euch der Retter geboren, der ist Christus, der Herr." Dieses „Heute" will die Geburt des wahren göttlichen Heilandes als für die Gegenwart geltendes und wirksames Heilsereignis ausrufen. Die freudige Nachricht gilt jetzt und immer. Würde uns das Zentralwort des Weihnachtsevangeliums nur an ein Ereignis schon ferner Vergangenheit erinnern, hätten wir das an uns appellierende, die aktuelle Entscheidung unseres persönlichen Glaubens und Lebens fordernde „Heute" nicht vernommen.

Was die Offenbarungserzählung den Engel des Herrn verkünden und den Engelchor hymnisch preisen läßt, ist nicht eine fromme Personallegende, sondern der Inbegriff des auf geschichtlicher Offenbarung beruhenden Christusglaubens. Und weil die Art und Weise, in der das Weihnachtsevangelium die einmalige heilsgeschichtliche Bedeutung der Geburt Jesu zum Ausdruck bringt, aus der christologischen Reflexion auf die Heilsprophetie der Schrift erwuchs und durch diese voll legitimiert ist, behält auch die für dieses Evangelium unverzichtbare Szenerie mit ihren Engeln und Hirten, mit Krippe und Krippenkind nach wie vor ihren guten Sinn. Das eigentliche Wunder, das zu verkünden Sinn und Ziel unseres Evangeliums ist, ist freilich nicht das Auftreten sichtbarer und hörbarer Engel, sondern die zentrale Wirklichkeit und Wahrheit, daß in Jesus von Nazaret der wahre Weltheiland geboren ist, durch den Gott seine Macht als gnädiges, heilschaffendes Erbarmen offenbarte. Das ist das unüberbietbare, absolute Wunder der biblischen Heilsgeschichte, das keine Entmythologisierung erlaubt.

Was die heute ermöglichte und gebotene Auslegung als Aussagegehalt unserer Perikope erschließt, ist deshalb kein anderes, kein neues Evangelium. Für ein vom rein positivistischen Wirklichkeitsbegriff bestimmtes Denken ist und bleibt es ein unüberwindliches Ärgernis. Für den Glaubenswilligen ist es die alte und stets neu zu hörende frohe Botschaft von der Geburt des Erlösers, die allein die letzte Antwort auf die Sinn- und Zukunftsfrage des Menschen zu geben vermag: „Denn euch wurde heute der Retter geboren, welcher ist Christus, der Herr!"

Anton Vögtle

GEBET

Ich steh an deiner Krippen hier,
o Jesu, du mein Leben,
ich komme, bring und schenke dir,
was du mir hast gegeben.
Nimm hin, es ist mein Geist und Sinn,
Herz, Seel und Mut, nimm alles hin
und laß dirs wohlgefallen.

Da ich noch nicht geboren war,
da bist du mir geboren
und hast mich dir zu eigen gar,
eh ich dich kannt, erkoren.
Eh ich durch deine Hand gemacht,
da hast du schon bei dir bedacht,
wie du mein wolltest werden.

Ich sehe dich mit Freuden an
und kann mich nicht satt sehen;
und weil ich nun nichts weiter kann,
bleib ich anbetend stehen.
O daß mein Sinn ein Abgrund wär
und meine Seel ein weites Meer,
daß ich dich möchte fassen!

Paul Gerhardt

26. Dezember
Heiliger Stephanus

WORT GOTTES

„Stephanus, voll Gnade und Kraft, tat Wunder und große Zeichen unter dem Volk. – Voll heiligen Geistes blickte er zum Himmel empor ... und rief: Ich sehe den Himmel offen und den Menschensohn zur Rechten Gottes stehen!"

Apg 6,8; 7,55–56

WEGWEISUNG

Es hat mich unwiderstehlich dazu hingezogen, diesen ersten, glorreichen Helden des christlichen Glaubens zu ehren. Diese große Heldengestalt hat meinen Geist und mein Herz ergriffen, und jetzt zieht mich eine große Sympathie zu ihm hin. Ich verehre ihn mit tiefer und inniger Zuneigung und empfehle mich seiner Fürsprache.

Der heilige Stephanus ist der erste gewesen, der gezeigt hat, daß er die weltumspannende Idee der neuen Religion in ihrer Gesamtheit zu erfassen vermochte; er versetzte den Bestrebungen der Juden, sich abzusondern, die ersten Schläge und öffnete der Wiedergeburt Christi neue Regionen. Mit kühner Sicherheit betrat er neue Wege, die der Ausbreitung des Christentums verschlossen schienen und auf denen Jesus Christus durch alle Nationen geführt werden sollte bis zu seinem Triumph.

Der heilige Paulus hatte die glorreiche Aufgabe, die neue Religion zu geleiten und sie über Jerusalem hinaus zu den Griechen und Römern zu tragen. Aber Stephanus kommt die Ehre zu, daß er den ersten Durchbruch gewagt und seine Initiative mit seinem Blut besiegelt hat; es war das erste Blut, das nach dem Tode Christi vergossen wurde. Glorreicher Primat, der den jungen Martyrer in die nächste Nähe des göttlichen Martyrers von Golgotha versetzt und dadurch seine edle Martyrerkrone wertvoller und verehrungswürdiger macht.

Heiliger Stephanus, von meiner stillen Kammer aus sende ich dir einen innigen Gruß brüderlicher Zuneigung, weil du ein junger Mensch warst wie ich und als solcher starbst, und zwar für dieselbe Sache, für die ich lebe und hoffe. Gib mir von deinem Glauben, deinem Mut, deiner Begeisterung und vor allem von deiner unbezwingbaren Stärke, deinem Heroismus.

Johannes XXIII. (als Seminarist 1901)

Stephanus hatte begriffen, daß durch die Begegnung mit Christus, durch das Wunder der Heiligen Nacht das Menschentum auf eine neue Ebene gehoben, zu neuer Kraft befähigt, zu neuem Zeugnis berufen sei. Das Bisherige genügt nicht mehr. So liegen auch die Aussagen: „voll Gnade und Kraft" – „Zeichen und Wunder" – „sie konnten nicht widerstehen".

Das alles aber ist dem Menschen nicht gegeben, sich selbst zu behaupten. Seit Weihnachten ist der suchende Gott mit heißem Herzen unterwegs. – Außergewöhnliche Hingabe ist sein Gesetz, außergewöhnliches Zeugnis ebenso.

Und das ist zugleich seine Botschaft an uns und sein Gericht über uns. Laßt uns aus der Gewöhnlichkeit herausspringen. In der Nähe Gottes gilt das nicht mehr. Gott wird uns wandeln und zum Zeugnis befähigen, wenn wir durch den Ernst der Hingabe ihn rufen.

Alfred Delp

Die Stärke vollendet sich in der Schwäche. So hat es schon Paulus gesagt. Und an das zu denken, das scheint mir heute ganz wichtig. Denn viele von uns sind in der Versuchung zu sagen: Ja, so ein Mensch wie der heilige Stephanus oder wie eine Mutter Teresa müßte man sein, ein Charisma wie sie müßte man haben. Aber ich bin einfach nicht so gebaut, ich bin nicht so selbstlos, ich muß schauen, wie ich in meinen schmalen Maßstäben über die Runden komme.

Mag sein, daß wir nicht dazu gerufen sind, ein in alle Öffentlichkeit so breit hinein strahlendes Werk wie jene aufzurichten. Das spielt aber gar keine Rolle. An der Stelle, an der wir stehen, sind wir berufen und haben wir die Kraft. Christi Liebe hat sich am Kreuz vollendet, in der äußersten Schwäche. Und das heißt: So schwach, wie wir sind, so halbherzig und armselig, wie wir sind, wir sind hineingenommen in ihn, in seine Liebe.

Und wenn wir an *der* Stelle, in *dem* Augenblick, mit *der* Kraft, die wir jetzt haben, ein Ja der Liebe sagen, dann passiert Unglaubliches. Entdecken wir den Ruf, den der Herr uns, jedem von uns gibt, glauben wir daran, daß er von uns persönlich etwas will, glauben wir ihm, daß er sein Leben nicht umsonst für uns hingab, sondern daß unser kleines Leben Samenkorn ist, das in die Erde fallen und sterben will, um reiche Frucht zu bringen. Samenkorn, das in die Erde fällt, das sind wir. Die stärkere Liebe Christi will sich vollenden und fruchtbar werden in unserer Schwachheit.

Klaus Hemmerle

GEBET

Herr, unser Gott,
wir danken dir
für die Gnade dieser festlichen Tage.
In der Geburt deines Sohnes
schenkst du uns das Heil;
im Sterben des heiligen Stephanus
zeigst du uns das Beispiel
eines unerschrockenen Glaubenszeugen.
Wir bitten dich:
Stärke unsere Bereitschaft,
deinen Sohn, unseren Herrn Jesus Christus,
standhaft zu bekennen,
der mit dir lebt und herrscht in alle Ewigkeit.

Schlußgebet der Tagesmesse

27. Dezember
Heiliger Johannes

WORT GOTTES

„Das Leben ist erschienen: wir haben gesehen und bezeugen und verkünden euch das ewige Leben, das beim Vater war und uns erschienen ist."

1 Joh 1,2

WEGWEISUNG

Johannes: Diese Licht- und Glutgestalt braucht nur genannt zu werden, um zu wissen, daß es hier der Geheimnisse viele gibt. Drei seiner Worte seien genannt, durch die er so männlich herb die Wirklichkeit Gottes gefaßt und zugleich sich selbst gezeichnet hat: Licht, Wahrheit, Liebe.

Das ist Botschaft und Gericht genug über uns. Wo sind die leuchtenden Menschen, in des Ewigen Licht leuchtend? Wo sind die, die Wahrheit tun? „Die Wahrheit wird euch frei machen": ein Johanneswort. Wenn die Unfreiheit eines Daseins Anzeichen seiner Unwahrheit und Unwahrhaftigkeit ist, dann wehe über dieses Geschlecht. Und dann laßt uns rufen, die, die zur Liebe entschlossen sind und laßt uns ihnen folgen. Das Klare suchen, das Wahre tun, die Liebe leben: das wird uns gesund machen.

Alfred Delp

Die Frohbotschaft Gottes! In bestimmter Zeit, an einem bestimmten Ort, in unserer Geschichte, ist der Christus Gottes, der Retter der Welt geboren, Jesus von Nazareth. In ihm ist Gott dem Menschen nahe, in ihm leuchtet etwas von der Herrlichkeit Gottes auf. Durch ihn sagt Gott dem Menschen zu: Ich bin dein Heil, ich suche dich! Mach dich auf in das Land, das ich dir zeigen werde. Du wirst es finden, wenn du mit diesem Jesus gehst.

Das ist die Botschaft an uns alle. Sie ist hineingesprochen in die unbestimmte, unklare Erwartung, in die Leere und Müdigkeit, hineingesprochen in die Tiefe des Glaubens, damit sie alle erfülle und freimache und erlöse.

Wer sich öffnet, wen die Botschaft anrührt und bewegt, der macht sich auf den Weg. Und Wunderbares wird geschehen. Wie ein Wunder ist es, daß er heute Jesus bitten kann, ihn mitzunehmen auf den Weg zum Vater;

daß er nun das Leben annehmen will und bejaht und Freude am Leben hat, Augen und Ohren, ein Herz für die Menschen;

daß er nun nicht mehr Schwierigkeiten aus dem Weg gehen will, sondern tut, was die Stunde verlangt, was Gott will;

daß er nun einen Weg finden will, mit denen in Frieden weiterzugehen, mit denen er bisher unversöhnt gelebt hat;

daß er nun versuchen will, weniger Angst zu verbreiten und sich weniger in den Vordergrund zu schieben, dafür dem anderen seinen Lebensraum gewähren will;

daß er die Wahrheit suchen und den Mut zur Wahrheit aufbringen will ...

Wenn wir uns der Botschaft öffnen, wenn uns die Botschaft anrührt und bewegt, was wird nicht alles neu werden und gut. Ein Stück Himmel wird aufscheinen, wie damals in Bethlehem. Das Reich Gottes hier auf dieser unserer Erde. Laßt uns miteinander heute beginnen!

Eugen Weiler

GEBET

Allmächtiger Gott,
Du hast uns durch den Evangelisten Johannes
einen Zugang eröffnet
zum Geheimnis deines ewigen Wortes.
Laß uns mit erleuchtetem Verstand
und liebendem Herzen erfassen,
was er in gewaltiger Sprache verkündet hat.

Tagesgebet

28. Dezember
Unschuldige Kinder

WORT GOTTES

„Unsere Seele ist wie ein Vogel
dem Netz des Jägers entkommen.
Das Netz ist zerrissen, und wir sind frei.

Unsere Hilfe steht im Namen des Herrn,
der Himmel und Erde gemacht hat.“

Psalm 124, 6–8

WEGWEISUNG

Auch die Kinder von Bethlehem gehören hierher. Sie haben mit Gott dem Herrn den Raum gemeinsam. Und von ihnen gilt das geheimnisvolle Wort: das alles ist geschehen, weil der Herr kam.

Das Geheimnis dieser Kinder ist dies: sie sind die Geopferten. Der göttliche Adler hat sie als Beute heimgeholt in seine Nähe. Geschlagen hat sie der grausame Wüterich, der den Herrn treffen wollte. Sie standen als erste Wache um das junge Gottesherz. Sie wurden einfach hineingerissen in diesen kämpferischen Dialog zwischen Gott und Gegengott, und es wurde ihnen dafür das Heil zuteil.

Es kann geschehen, daß Gottes hohe Souveränität die Kreatur einfach hineinreißt in diese Auseinandersetzung. Der erwachsenen Kreatur gereicht dies nur zum Heil, wenn sie diese Beschlagnahme durch Gott in freier Entscheidung ratifiziert und mitvollzieht. Jenen Kindern aber gereichte um des Kindes willen, dessen Stall ihnen zum Schicksal wurde, dieser grausame Zugriff des Antigöttlichen, das der Herrgott zuließ, zum Heile. Das ist ihr Geheimnis.

Und das ist ihre Botschaft an uns und ihr Gericht über uns. Wir wissen nichts mehr von der göttlichen Souveränität.

Alfred Delp

Maria hat mit einemmal viele kleine Gesichter vor Augen, die Gesichtchen der Kinder von Bethlehem, Kinder desselben Davidstammes, die im selben Zeitraum wie ihr Sohn geboren wurden. Warum diese Kinder und nicht er? Warum hat der Allmächtige das Gemetzel zugelassen? Warum hat er die Kleinen nicht verteidigt? Warum hat er dem grausamen Herodes nicht den Weg verlegt durch den Tod? Warum nicht?

Und doch – hat denn der Gewalthaber sein Ziel erreicht, Jesus zu töten? Was hat seine Gerissenheit ihm eingebracht? Eine lose Masche hat genügt, und das ganze Fangnetz war umsonst ausgelegt. Gerade der Gesuchte war nicht drin. Der ganze Plan ging daneben. Aber die anderen? Das Opfer von soviel Unschuldigen? Sie haben ihre Mission erfüllt.

Indem sie die Schläge auf sich zogen, haben sie verhindert, daß Christus auf der Flucht getroffen wurde; indem sie mit ihren zarten Körpern die Aufmerksamkeit der Soldaten festhielten, haben sie dem Messias Zeit gegeben, dem Gemetzel zu entfliehen, – haben sie Jesus gerettet.

Es war notwendig, daß Jesus in jener Nacht verschont blieb. Für die andern war es notwendig, für ihn zu bezahlen. Auf die Stunde des Todes kommt es nicht an. Nur darauf kommt es an, daß wir unsere Mission erfüllen.

Jesus wird seine Mission später auf Golgotha erfüllen, die unschuldigen Kinder haben sie in dieser Nacht erfüllt.

Carlo Carretto

GEBET

Gepriesen sei Christus, der König der Märtyrer. Zu ihm laßt uns beten:

Nicht mit Worten, sondern mit ihrem Blut haben die Unschuldigen Kinder von dir Zeugnis abgelegt;
– mach uns bereit, dich vor den Menschen zu bekennen.

Unmündige Kinder hast du als Erstlinge deines Reiches in den Himmel vorausgesandt;
– gib, daß auch wir in dein Reich gelangen.

Sie waren noch nicht fähig zu kämpfen und haben dennoch die Siegespalme errungen;
– laß nicht zu, daß wir im Kampf mit dem Bösen erliegen.

Stundenbuch

29. Dezember
5. Tag in der Weihnachtsoktav

WORT GOTTES

„Wer sein Wort hält, hat die Gottesliebe vollkommen in sich. – Wer seinen Bruder liebt, bleibt im Licht." 1 Joh 2, 5. 10

WEGWEISUNG

Es wird dir gesagt: Du sollst Gott lieben! Wenn du mir erwiderst: Zeig mir, den ich lieben soll, was soll ich anders antworten, als was Johannes schreibt: „Niemand hat Gott je gesehen." Damit du aber nicht glaubst, es sei dir völlig unmöglich, Gott zu sehen, sagt er: „Gott ist die Liebe, und wer in der Liebe bleibt, bleibt in Gott."

Liebe also den Nächsten; blicke in dein Herz, um zu erkennen, warum du den Nächsten liebst; dort wirst du Gott schauen auf deine Weise.

Fang also an, den Nächsten zu lieben: „Teile an die Hungrigen dein Brot aus, nimm die Obdachlosen in dein Haus auf; wenn du einen Nackten siehst, bekleide ihn. Verachte nicht den Hausgenossen deiner Verwandtschaft."

Was wirst du erreichen, wenn du das tust? „Dann wird dein Licht hervorbrechen wie die Morgenröte." Dein Licht ist dein Gott, dein Morgenlicht, dann, nach der Nacht der Welt, wird er dir aufstrahlen, der keinen Aufgang kennt und keinen Untergang: er bleibt allezeit.

Indem du den Nächsten liebst und für deinen Nächsten sorgst, machst du dich auf den Weg. Wohin geht dein Weg, wenn nicht zu Gott, den wir von ganzem Herzen lieben sollen? Wir sind zwar noch nicht beim Herrn angelangt. Aber wir haben den Nächsten bei uns. Trage den, mit dem du gehst, um zu dem zu gelangen, bei dem du ewig bleiben möchtest. Augustinus

Gottes Liebe ist unendlich. Daran teilhaben heißt geben, bis es wehetut. Darum geht es nicht so sehr darum, möglichst viel, sondern es mit Liebe zu tun. Wieviel Liebe verbinden wir mit einem Geschenk. Deshalb sind auch Menschen – sie mögen sehr reich sein –, die nicht Liebe zu geben und zu empfangen verstehen, im Grunde sehr arm, ja die Ärmsten der Armen. Das, glaube ich, ist es, was unsere Schwestern verstanden haben: Freude zu verbreiten, etwas, was man bei vielen Ordensleuten sehen kann, die sich vorbehaltlos Gott verschrieben haben.

Bringt Christus – ohne darin nachzulassen – zu den Menschen, die euch brauchen; bringt ihn nicht durch Worte, sondern durch euer Beispiel, durch die Liebe, die euch mit ihm verbindet; seid ihnen ein Abglanz seiner Heiligkeit, und verbreitet seine wohltätige Liebe, wo immer ihr auch seid. Bewahrt euch eure Kraft, die in der Freude Christi begründet ist. Seid fröhlich und friedvoll. Nehmt heiter und gelassen an, was immer er gibt, und gebt, was immer er nimmt. Mutter Teresa

GEBET

Barmherziger Gott, schenke uns den Geist deines Sohnes, den Geist der Liebe.

Laß alle Glieder der Kirche die Zeichen der Zeit verstehen und in der Treue zu deinem Evangelium wachsen. Mache uns offen für die Menschen um uns, daß wir ihre Trauer und Angst, ihre Hoffnungen und Freuden teilen und mit ihnen den Weg gehen zum Heil. nach einem Schweizer Kanon für die Eucharistiefeier

30. Dezember
6. Tag der Weihnachtsoktav

WORT GOTTES

„Als tiefes Schweigen das All umfangen hielt und die Nacht auf ihrem Weg die Mitte erreicht hatte, da kam, o Gott, dein allmächtiges Wort vom Himmel, von seinem Königsthron herab."

Weish 18,14f.

WEGWEISUNG

Gott sprach das Wort aus seinem ewigen Schweigen heraus, und durch das Wort schuf und erlöste er die Welt. – In der Fülle der Zeiten hat Gottes Wort, durch das alles geschaffen wurde, Fleisch angenommen und gab allen, die glauben, Macht, Kinder Gottes zu werden.

Schweigen ist die Heimat des Wortes. Schweigen gibt dem Wort Fruchtbarkeit und Kraft. Wir können sogar sagen, daß Worte dazu da sind, das Geheimnis der Stille zu erschließen, aus der sie hervorgehen.

Worte können nur dann Gemeinschaft und somit neues Leben schaffen, wenn sie das Schweigen verkörpern, aus dem sie hervorgehen. Sobald wir anfangen, andere mit unseren Worten zu beschlagnahmen, und Worte gebrauchen, um uns zu verteidigen oder andere zu kränken, spricht das Wort nicht mehr vom Schweigen.

Schweigen ist das Geheimnis der kommenden Welt. Im Schweigen bleiben wir Pilger und werden von der Verstrickung in die Angelegenheiten dieser Weltzeit bewahrt. Schweigen hütet das Feuer des Heiligen Geistes, der in uns wohnt. Es macht uns fähig, ein Wort zu sprechen, das an der schöpferischen und heilenden Kraft von Gottes eigenem Wort teilnimmt.

Henri J. M. Nouwen

Weihnachten ruft uns in die Stille Gottes hinein, und sein Geheimnis bleibt so vielen verborgen, weil sie die Stille nicht finden können, in der Gott handelt. Wie finden wir sie? Das bloße Schweigen allein schafft sie noch nicht. Denn es kann ja ein Mensch äußerlich schweigen, und doch ist er von der Unrast der Dinge völlig zerrissen. Es kann einer schweigen und doch ist es unheimlich laut in ihm. Stillewerden bedeutet eine neue innere Ordnung finden. Es bedeutet, nicht bloß auf die Dinge bedacht zu sein, die man darstellen und vorzeigen kann. Es bedeutet, nicht bloß auf das hinzuschauen, was unter den Menschen gilt und einen Verkehrswert unter ihnen hat. Stille bedeutet, die inneren Sinne zu entwickeln, den Sinn des Gewissens, den Sinn für das Ewige in uns, die Hörfähigkeit für Gott.

Joseph Kardinal Ratzinger

GEBET

Sei gegrüßt, Jesu, Kindelein,
begehrt von allen Völkern!
Komm zu mir:
Mit deiner Lieb, mein Herz zu erfüllen und zu entzünden gegen dich
Mit deiner Stärk' zum Beistand meiner Schwachheit
Mit der Ruhe des Herzens, daß dir allweg sei eine Statt des Friedens in meinem Herzen.
Mit dir selbst, Jesu, komm Herr Jesu. Amen.

Gib mir:
Deine Freundschaft; denn in deiner Freundschaft ist große Freude
Die wahre Freud'; denn es ist kein Ergötzen als die Freude des Herzens
Die Liebe; denn die Liebe verdeckt die Menge der Sünden
Einen guten Willen, und lehr' mich tun deinen Willen, denn mein Gott bist du
Den rechten Ernst, daß ich eifrig sei in allem Guten.

Aus dem Gebetbuch der Äbtissin Caritas Pirckheimer zu St. Claren

31. Dezember
Heiliger Silvester

WORT GOTTES

„Ihr habt Christus Jesus als Herrn angenommen; darum lebet auch in ihm! Bleibt in ihm verwurzelt und auf ihn gegründet und haltet an dem Glauben fest, in dem ihr unterrichtet werdet. Hört nicht auf zu danken!" Kol 2,6–8

WEGWEISUNG

Nehmen wir dankbar vom alten Jahr Abschied, damit es noch werde, was es sein soll, das Geschenk der Gnade Gottes. Denn Gott hat uns alle Tage dieses Jahres gegeben. Und wenn wir sie wahrhaft als von seiner Liebe gegeben angenommen haben (und wir können es immer noch tun), sind es gesegnete Tage gewesen, Tage der Gnade und des Heiles.

Wenn wir nur sagen würden, wir seien die Armen und die Versagenden, die Belasteten, die Müden, die Angstvollen gewesen, diejenigen, die weder unserem Leben noch dem Anruf Gottes entsprochen haben, dann hätten wir zwar vielleicht etwas Wahres gesagt. Wenn wir aber als Christen nur das von uns und von unserem vergangenen Jahr sagen würden, dann würden wir ungerecht gegen Gott sein. Hat er uns nicht in seiner Gnade bewahrt? Hat er uns nicht immer wieder den Leib, den gebenedeiten, seines Sohnes gegeben? Ist nicht sein Heiliger Geist in unseren Herzen? Haben wir nicht doch auch Gottes Last, wenn vielleicht auch nur mühsam und stöhnend, durch dieses Jahr hindurchgetragen? Hat nicht Gottes Gnade auch durch uns hindurch andern Gutes getan? Haben wir nicht, wenn auch nach manchem Murren und Protest, uns doch in vieles geschickt, was hart ankam, es angenommen, was – selbst wenn wir es nicht sehr ausdrücklich bedenken – bedeutet, daß wir Gott angenommen haben? Wenn wir solches nicht getan hätten, dann wären wir jetzt, am letzten Abend des Jahres, gar nicht vor Gottes Antlitz getreten.

Aber weil es durch Gottes Gnade so war, wie wir es erlebten, weil es trotz allem mehr Gottes gnädige Tat an uns als unser Versagen war, können wir es segnen, wir müssen und dürfen es. Wir dürfen dankbar von diesem Jahr Abschied nehmen und es bergen in die Gnade und in die Liebe Gottes, in die Liebe des Gottes, der die Ewigkeit ist und dasjenige uns für unsere Ewigkeit aufbewahrt, von dem wir heut und morgen Abschied nehmen. Was wir voll Dank geben, nimmt Gott in Gnade an, und was so von ihm angenommen wird, das ist erlöst und geheiligt, begnadet und befreit. Und so bleibt es in Ewigkeit: unser gerettetes Jahr, das für immer erworben ist.

Wenn wir jetzt, da wir Abschied nehmen vom alten Jahr, noch nicht vorausblicken ins neue, können wir uns doch getrost ins neue Jahr mitnehmen. Auch so, wie wir sind; denn so sind wir Gottes des ewigen Vaters Geschöpfe, das Werk seiner Hände. Er hat uns gemacht. Er verantwortet, was er gemacht hat. Er verantwortet diese Weltgeschichte und auch das Leben von jedem von uns. Er hat uns umfaßt mit seiner Güte, seiner Liebe und Treue. Wenn wir uns die Last der Vergangenheit, uns mit all unseren Sorgen, mit all unserer Schwäche und Müdigkeit mitnehmen ins neue Jahr – der getreue, der gütige Gott geht mit uns. Und die Last, die wir weitertragen und hinein ins neue Jahr, ist nicht größer, als wir sie tragen können.

Nehmen wir also Abschied vom vergangenen Jahr! Es war ein Jahr des Herrn, ein Jahr seiner Gnade, ein Jahr sogar des Wachstums im inneren Menschen, selbst wenn wir es nicht verspürten, weil Gottes Kraft in unserer Schwachheit zum Siege kommen muß. So können wir wirklich am Schluß des Jahres alle Gott preisen und danken und ihn loben, denn er ist gut, und sein Erbarmen währet ewig!

Karl Rahner

Ewigkeit,
in die Zeit leuchte hell herein,
daß uns werde klein das Kleine
und das Große groß erscheine,
selge Ewigkeit!

Marie Schmalenbach

Wie wäre es, wenn das Kommen und Gehen der Zeit, in das wir uns eingespannt finden, das Kommen und Gehen, in dem uns unaufhörlich der Ball sich erneuernder Gegenwart zugespielt wird, daß wir ihn fingen und zurückgäben, und in dem ebenso unaufhörlich alle Bälle und alle Schläge uns wieder weggenommen werden, um am Orte Nirgendwo aufbewahrt zu werden: wie wäre es, wenn dies, das Kommen und Gehen, der Gang und das Spiel des *Ewigen* mit uns *Sterblichen* wäre?

Und könnten wir nicht das Wort des sterbenden Jesus: „Es ist vollbracht", als das Schlüsselwort aller Zeit betrachten? Das Wort, das biblisch verstanden, das Schlüsselwort und der Schlüssel des österlichen Morgens ist. Das Vollbrachte bahnt ihn an und schließt ihn auf. Es weist in die große Befreiung, den ewigen Augenblick, wenn der lautlose Jubel sich erhebt, weil alles da und gewonnen ist.

Bernhard Welte

GEBET

Der du die Zeit in Händen hast,
Herr, nimm auch dieses Jahres Last
und wandle sie in Segen.
Nun von dir selbst in Jesus Christ
die Mitte fest gewiesen ist,
führ uns dem Ziel entgegen.

Wer ist, der hier vor dir besteht?
Der Mensch, sein Tag, sein Werk vergeht:
nur du allein wirst bleiben.
Nur Gottes Jahr währt für und für,
drum kehre jeden Tag zu dir,
weil wir im Winde treiben.

Der du allein der Ewge heißt
und Anfang, Ziel und Ende weißt
im Fluge unsrer Zeiten:
bleibst du uns gnädig zugewandt
und führe uns an deiner Hand,
damit wir sicher schreiten.

Jochen Klepper

Neujahrstag
Hochfest der Gottesmutter Maria

WORT GOTTES

„Der Herr segne dich und behüte dich. Der Herr lasse sein Angesicht über dir leuchten und sei dir gnädig. Der Herr wende dir sein Angesicht zu und gewähre dir Heil."

Num 6,24–26

WEGWEISUNG

Laßt uns in das neue Jahr mit christlichem Ernst und christlichem Leichtsinn gehen.

In christlichem Ernst! Wir dürfen uns nicht planlos treiben lassen. Vor allen anderen Sorgen und Plänen kommt die entscheidende Frage: Ist mein Leben auf Gott gerichtet? Ist es Gottesdienst? Ist es Weg zu Gott? Bin ich auf dem Weg zum Leben oder auf dem breiten zum Verderben?

Aber aus dem christlichen Ernst kommt der christliche Leichtsinn. Ungewiß und dunkel steht vor uns das neue Jahr. Voll ungeahnter Möglichkeiten für Leib und Seele, an inneren und äußeren Ereignissen, privaten und allgemeinen Schicksalen. Der Christ sucht nicht den Schleier wegzureißen. Auch er steht vor der Dunkelheit, ja noch mehr: er steht vor der Dunkelheit des unbegreiflichen Gottes. Aber er weiß ihn zugleich als Vater. Er grübelt nicht über die Zukunft, sondern er weiß, daß hinter aller Dunkelheit und Ungewißheit kein blindes Schicksal, sondern der Wille des Vaters steht. – Er weiß, daß ihm alles Stufe und Weg zu Gott sein kann. Er fragt nach seiner Aufgabe, nach dem Willen des Vaters heute und morgen. Er stellt die Gegenwart unter Gottes Willen, die Zukunft unter Gottes Vorsehung, die Vergangenheit unter Gottes Barmherzigkeit. Er verlangt nicht, „zu sehen der Zukunft Bild; ein Schritt genügt ihm schon". So wollen wir unser Leben getrost in Gottes Hand legen. „Herr, dein Wille geschehe!" Theo Gunkel

Jesus. Diesen Namen des Herrn und meines Ordens will ich groß an den Anfang des neuen Jahres schreiben. Er besagt, was ich erbete, glaube und hoffe: die innere und äußere Erlösung. Die Lösung der egoistischen Krämpfe und Engen in den freien Dialog mit Gott, die freie Partnerschaft, die vorbehaltlose Hingabe. Und die baldige Erlösung aus diesem elenden Eisen. Die Situation ist lügenhaft. Das, was ich weder getan noch gewußt habe, hält mich hier fest.

Dieser Name besagt weiterhin, was ich in der Welt und bei den Menschen noch will. Erlösend, helfend beistehen. Den Menschen gut sein und Gutes tun. Ich bin manchen vieles schuldig geblieben.

Und schließlich ist damit mein Orden gemeint, der mich nun endlich an sich und in sich aufgenommen hat. Er soll in mir Gestalt werden. Ich will mich Jesus zugesellen als ein Treugeselle und Liebender.

Letztlich aber soll der Name eine Leidenschaft bezeichnen: des Glaubens, der Hingabe, des Strebens, des Dienstes.

Alfred Delp (aus seinen Aufzeichnungen im Gefängnis)

Maria lehrt uns, daß der Glaube, wenn er einmal seiner ersten Naivität entwachsen ist, seinen Weg zu durchlaufen hat. Und daß auf diesem Weg zuweilen harte und schwierige Dinge zu bestehen sind.

Dann tröstet uns Maria und mahnt uns: Fürchtet euch nicht! Lernt es, bisweilen auch mit ungelösten Fragen zu leben.

Wer dann wie Maria in Geduld ausharrt und die bisweilen von innen und bisweilen von außen kommenden Schwierigkeiten in der Geduld des Vertrauens besteht, für den wird auch die Stunde kommen und heranreifen, in der sich das Dunkle lichtet, vielleicht ganz in der Stille, aber niemals ohne die größere Gemeinschaft der glaubenden und betenden Menschen.

Als unsere erste Schwester im Glauben kann Maria uns eine gute Begleiterin sein auf dem von jedem eigens zu gehenden Weg des Glaubens.

Bernhard Welte

O Maria, die du so tief und mütterlich der Kirche verbunden bist, die du dem ganzen Gottesvolk voranleuchtest auf den Wegen des Glaubens, der Hoffnung und der Liebe, umfange alle Menschen, die durch dieses zeitliche Leben den ewigen Zielen entgegenpilgern, mit jener Liebe, welche der göttliche Erlöser selbst, dein Sohn, vom Kreuz herab in dein Herz strömen ließ! Sei du die Mutter all unserer Erdenwege, auch wenn sie verschlungen sind, damit wir uns am Ende alle wiederfinden in jener großen Gemeinschaft, die dein Sohn einst seine Herde nannte und für die er als der Gute Hirt sein Leben hingab!

O Mutter der Menschen und der Völker, du kennst all ihre Leiden und Hoffnungen, du fühlst mit mütterlicher Anteilnahme alles Kämpfen zwischen Gut und Böse, zwischen dem Licht und der Dunkelheit, von der die Welt befallen ist – erhöre unseren Ruf, den wir im Heiligen Geist unmittelbar an dein Herz richten. Umfange mit der Liebe der Mutter und der Magd des Herrn jene, die diese liebende Zuneigung am meisten ersehnen, und zugleich auch diejenigen, auf deren Vertrauen du besonders wartest! Nimm die ganze Menschheitsfamilie, die wir mit liebender Hingabe dir, o Mutter, anvertrauen, unter deinen mütterlichen Schutz. Mögen allen Menschen Zeiten des Friedens und der Freiheit, Zeiten der Wahrheit, der Gerechtigkeit und der Hoffnung beschieden sein!

Papst Johannes Paul II.

2. Januar

WORT GOTTES

„Wenn das, was ihr von Anfang an gehört habt, in euch bleibt, dann bleibt auch ihr im Sohn und im Vater.“ 1 Joh 2,24

WEGWEISUNG

Gott ist nicht nur da, Er ist uns nahe, ja Er ist „der Nächste“ geworden: buchstäblich. Gott ist uns auf den Leib gerückt, und wir können Ihn nicht mehr loswerden. Gott hat Sein Innerstes gegen uns nach außen gekehrt, und es war Sein Sohn, und der Sohn ist Mensch geworden und unter uns wohnen geblieben. Denn dieser Mensch Jesus hat alle Menschen als Zellen Seines Leibes an sich gezogen, und so hat Er das letzte, das gültige, das unüberholbare Bild Gottes auf Erden aufgepflanzt, das nicht mehr auszurottende, solange das Menschengeschlecht besteht. Er ist ein Mensch und ist jedem ähnlich und jeder Ihm.

Die Welt ist voll von Bildern Gottes, von Andenken an Seine Gegenwart! Wir stolpern bei jedem Schritt darüber, wir stoßen uns weh und wund an ihnen. Wir können nicht einmal von ihrer geheimnisvollen Verbundenheit mit Ihm absehen, wenn wir möchten, denn Er ist uns zuvorgekommen und hat unüberhörbar gesagt: „Was immer ihr dem Geringsten meiner Brüder tut oder nicht tut, das habt ihr mir getan!“ So hat Er sich eingeschaltet zwischen uns und uns. Wer kann sich da noch vorbeidrücken? „Wohin soll ich fliehen vor Deinem Angesicht?“ hat seit der Weihnacht eine neue, eine bedrängende Bedeutung bekommen. Ida Friederike Görres

Bevor die Menschenliebe (Gottes) erschien, war die Güte verborgen. Sie war ja schon immer da, wie auch die Barmherzigkeit Gottes von Ewigkeit ist. Aber woran hätte man ihre Größe erkennen können? Sie war verheißen, aber nicht erfahren; darum glaubten viele nicht an sie. Aber jetzt mögen die Menschen wenigstens dem glauben, was sie sehen.

Siehe da: Friede ist nicht nur verheißen, sondern auch verwirklicht; nicht aufgeschoben, sondern mitgeteilt; nicht bloß vorhergesagt, sondern gegenwärtig. Denn als die Fülle der Zeit kam, erschien auch die Fülle der Gottheit. Sie kam im Fleisch; denn so sollte sie den irdischen Menschen gezeigt werden, und es sollte beim Erscheinen der Menschenliebe die Güte erkannt werden. Wo sich nämlich die Menschenliebe Gottes zu erkennen gibt, kann die Güte nicht verborgen bleiben. Wie hätte er sie auch eindrucksvoller zeigen können als dadurch, daß er mein Fleisch annahm?

Wo gibt es noch einmal so viel Liebe? „Was ist der Mensch, daß du an ihn denkst und daß du deinen Sinn auf ihn richtest?" Hier soll der Mensch begreifen lernen, wie sehr sich Gott um ihn sorgt; hier soll er erfahren, was Gott von ihm denkt.

An dem, was er für dich getan hat, erkenne, wieviel du ihm wert bist. Dann wird seine Güte dir aus seiner Menschenliebe entgegenleuchten. Je tiefer er sich in seinem Menschsein erniedrigte, um so größer erwies er sich in seiner Güte. Je armseliger er für mich geworden ist, desto lieber ist er mir. „Erschienen ist die Güte und Menschenliebe Gottes, unseres Retters."

Bernhard von Clairvaux

GEBET

Mein Herr und mein höchstes Gut, ich kann es nicht ohne Tränen aussprechen, überwältigt vom Glücksgefühl, daß du ähnlich wie im Sakrament, so auch in uns selber wohnen willst. Dies kann man mit Gewißheit glauben, denn es ist wirklich so. Wenn wir es uns nicht durch eigene Schuld versagen, so können wir uns an deiner Gegenwart freuen. Du selbst findest deine Freude in uns, hast du uns doch zugesagt, es sei deine Wonne, bei den Menschenkindern zu sein. Jedesmal, wenn ich dieses Wort höre, gibt es mir freudigen Mut.

Teresa von Ávila

3. Januar

WORT GOTTES

Das Volk, das im Dunkel lebt, sieht ein helles Licht: über denen, die im Land der Finsternis wohnen, strahlt ein Licht auf.

Jes 9, 1

WEGWEISUNG

Was soll das bedeuten, wenn von Jesus gesagt wird, er sei das Licht der Welt (Joh 8, 12) – das wahre, das eigentliche Licht, im Vergleich zu dem das Licht der Weihnachtskerzen nur ein schüchterner Hinweis ist?

Wodurch, wieso ist Jesus das Licht der Welt? Er ist es, weil er die Wirklichkeit Gottes ins Licht bringt und sehen läßt. Jesus, der von Anfang an, vor aller Schöpfung bei Gott war, als Wort Gottes, als Licht vom Licht (Joh 1), der in der Gestalt eines Menschen in die Welt kam, hat uns offenbar gemacht, wer Gott ist, wie Gott gesinnt ist, wie Gott handelt. Das Schlüsselwort dazu heißt: Gott ist mein Vater, Gott ist unser Vater. Gott ist die Liebe, Gott ist Licht. Wo die Wirklichkeit Gottes ins Licht kommt, wird die Welt auf eine neue Weise hell: sie erkennt sich in diesem Licht als Schöpfung, als Eigentum Gottes. Im Licht Gottes erkennt der Mensch sich selbst als Geschöpf, als Gottes geliebtes Kind. Sein Leben wird durchsichtig als Weg, der von Gott kommt und zu Gott führt.

Aber wie verträgt sich diese Botschaft mit der Wirklichkeit der Welt, wo es Menschen, wo es Kinder gibt, die in tausendfältiger Not sind, hungrig, krank, unschuldige Opfer, wie verträgt sich diese Botschaft vom Gott der Liebe mit der Wirklichkeit einer Welt, wo es Haß, Terror, Gewalt gibt, wie verträgt sich die Botschaft vom Gott der Liebe mit der Wirklichkeit meines Lebens?

Was folgt daraus für uns, wenn wir an Weihnachten uns zu Jesus bekennen als dem Licht der Welt und wenn wir bemüht sein wollen, von diesem Licht unser Leben bestimmen zu lassen und alles, was darin ist? Es folgt nicht, daß uns eine schmerzlose, leidfreie, heile Welt geschenkt wird, eine Welt ohne Schatten, es folgt auch nicht, daß wir auf einmal ganz andere Dinge sehen als die, die uns das tägliche Leben und die Wirklichkeit der gegenwärtigen Welt vermittelt. Aber durch Jesus, der das Licht der Welt ist, vermögen wir die Dinge anders zu sehen, wir vermögen sie gleichsam zu öffnen und durchsichtig zu machen, wir sehen mehr. Durch Jesus das Licht der Welt kann es für den Christen keine wirklich aussichtslose oder völlig ausweglose Lage geben, also eine Situation, die den Menschen mit ihrer Macht und Nacht so völlig zudeckt, daß die blanke Sinnlosigkeit waltet. Und: Wenn alle naheliegenden Aussichten im Augenblick versperrt sind, so hoffen wir, solange wir leben, daß irgendwo eine Tür sich auftut, daß irgendwo ein Licht der Hoffnung entzündet wird.

Ohne Hoffnung kann kein Mensch leben. Und sollte es der Fall sein, daß wir ein Leben lang vergeblich warten und hoffen, daß erst mit dem Tod unsere Hoffnung aufhört – dann gilt: auch der Tod ist keine aussichtslose, ausweglose Lage, sondern die unverzichtbare Schwelle, um wie Jesus zu Gott, dem Vater zu gelangen, von dem wir sagen, er sei das ewige Licht, das ewige Leben. Gerade der Tod, der Ernstfall unseres Lebens, wird erleuchtet, durch Jesus, der das Licht der Welt ist, die Auferstehung und das Leben.

Jesus ist das Licht der Welt. Er macht die Wirklichkeit der Welt hell und gibt uns eine Möglichkeit des Sehens, weil er uns die Wirklichkeit Gottes erschließt und den Himmel öffnet.

Heinrich Fries

GEBET

Allmächtiger Gott, zu unserem Heil ist dein Sohn als Licht der Welt erschienen. Laß dieses Licht in unseren Herzen aufstrahlen, damit sich unser Leben von Tag zu Tag erneuert. Darum bitten wir durch ihn, Jesus Christus.

Tagesgebet

4. Januar

WORT GOTTES

„Johannes stand wieder dort und zwei von seinen Jüngern standen bei ihm. Als Jesus vorüberging, richtete er seinen Blick auf ihn und sagte: Seht, das Lamm Gottes! Die beiden Jünger hörten sein Wort und folgten Jesus. Jesus aber wandte sich um ... und fragte sie: Was wollt ihr von mir? Sie sagten zu ihm: Rabbi, wo wohnst du? Er antwortete ihnen: Kommt und seht!"

Joh 1, 36–39

WEGWEISUNG

Die beiden Jünger können gar nicht anders. Was sie genau wollen, wissen sie selber noch nicht. Sie wissen nur, daß es sie zu ihm drängt, daß sie ihm folgen müssen. Und nun wendet der Herr sich um: „Was suchet ihr?" Er macht es ihnen leicht, er spricht das erste Wort. Freilich – was sie antworten sollen, wissen sie nicht. So stammeln sie unbeholfen eine Gegenfrage: „Meister, wo wohnst du?" Sie meinen viel mehr. „Wo, wie können wir dich erreichen, wie in deine Nähe kommen, wo ist ein Zugang zu dir, wie können wir dein werden?", das alles liegt darin. Und er sagt ihnen – er versteht ja jeden Laut des Herzens –: „Kommet und seht!"

Und nun gehen sie neben ihm, gehen mit ihm und weilen den Tag über bei ihm. Was sie mit ihm gesprochen haben – Johannes berichtet nichts davon. Aber es spiegelt sich wider in der völlig klaren und ruhigen Sicherheit, mit der der eine von ihnen, Andreas, gleich darauf seinem leiblichen Bruder Simon sagt: „Wir haben den Messias gefunden", und ihn zu Jesus führt.

„Kommt und seht!" Der erste Schritt ist das Tun der Nachfolge. Dann öffnet sich die Erkenntnis.

Alice Scherer

Der Ruf Gottes ist etwas Geheimnisvolles, denn man hört ihn in der Verborgenheit des Glaubens. Seine Stimme ist so leise und so verhalten, daß sie nur in der inneren Stille gehört werden kann. Und dennoch ist für den Menschen nichts so entscheidend, nichts so umstürzend, nichts sicherer und nichts stärker.

Dieser Ruf ist bleibend: Gott ruft immer! Aber es gibt bevorzugte Augenblicke für diesen göttlichen Ruf, Augenblicke, die wir in unserem Kalender ankreuzen, Augenblicke, die wir nicht mehr vergessen.

Und wenn wir uns aufmachen zu dir und auf demselben Weg laufen, den du uns seit je bereitet hast, fühlen wir uns vollkommen frei. Wir merken es nicht einmal, daß wir die Füße genau in die Spuren setzen, die du uns gelassen hast, damit wir zu dir finden.

Carlo Carretto

GEBET

Laß mich deinen Willen erkennen,
deinen Willen für mich, deinen Willen gerade jetzt
und hier in diesem Augenblick meines Lebens.
Ich weiß, Herr, daß ich immer wieder deinen Willen
umzubiegen suche nach meiner Laune. –
Erleuchte mich. Gib mir den Mut,
mit unerwarteten Forderungen von dir zu rechnen,
den Mut, mir von dir etwas zutrauen zu lassen,
wozu meine Kräfte nicht auszureichen scheinen,
den Mut, an deine Kraft
in meiner Schwachheit zu glauben. –
Gib mir die Kraft,
als guter und getreuer Knecht
deinen Willen zu sehen und allezeit zu erfüllen.

Hugo Rahner

5. Januar

WORT GOTTES

„Wir werden unser Herz vor ihm beruhigen; denn wenn das Herz uns auch verurteilt, Gott ist größer als unser Herz, und er weiß alles."

1 Joh 3, 19. 20

WEGWEISUNG

Gottes Barmherzigkeit ist größer als unsere Schuld. Es gibt ein Sündenbewußtsein, das nicht zu Gott, sondern zur Beschäftigung mit sich selbst führt. Unsere Versuchung besteht darin, uns so sehr von unseren Sünden und Fehlern niederdrücken zu lassen, daß wir in lähmende Schuld geraten. Die Schuld sagt: „Ich verdiene nicht Gottes Barmherzigkeit, denn meine Sünde ist zu groß."

Die Schuld ist es, die uns zur Selbstbespiegelung führt, statt unsere Augen auf Gott zu lenken. So ist die Schuld zum Götzen und deshalb zu einer Form von Stolz geworden.

Henri J. M. Nouwen

Wisse, daß die Geduld es ist, die uns am besten im Guten fördert! Und soweit man sie gegen andere üben soll, darf man sie auch mit sich selber tragen.

Laßt uns ehrlich gestehen: wir sind arm und vermögen nicht viel Gutes. Gott aber, der Allgütige, ist mit unseren kleinsten Anstrengungen zufrieden und sieht auf das Herz. – Wohl liebt Gott nicht unsere Gebrechen und Fehler, aber uns selbst liebt er mit ewiger Liebe.

Alles, was dich auf deinem guten Wege beunruhigt und verwirrt, kommt nicht von Gott; Gott ist der Fürst des Friedens. – Bleibe im Frieden bei allem, was Gottes Vorsehung dir schickt.

Grüble nicht über die Seltsamkeiten dieses Lebens. Suche Gott einfältigen Herzens, suche ihn in allen Dingen und du wirst ihn finden, und in ihm die Ruhe deines Herzens.

Franz von Sales

Gott schaut dich, wer immer du seist, so, wie du bist, persönlich. Er „ruft dich bei deinem Namen". Er sieht dich und versteht dich, wie er dich schuf. Er weiß, was in dir ist, all dein Fühlen und Denken, deine Anlagen und deine Wünsche, deine Stärke und deine Schwäche. Er sieht dich an deinem Tag der Freude und an deinem Tag der Trauer. Er fühlt mit deinen Hoffnungen und Prüfungen. Er nimmt Anteil an deinen Ängsten und Erinnerungen, an allem Aufstieg und Abfall deines Geistes. Er umfängt dich rings und trägt dich in seinen Armen. Er liest in deinen Zügen, ob sie lächeln oder Tränen tragen, ob sie blühen an Gesundheit oder welken in Krankheit. Er schaut zärtlich auf deine Hände und deine Füße. Er horcht auf deine Stimme, das Klopfen deines Herzens, selbst auf deinen Atem. Du liebst dich nicht mehr, als er dich liebt.

J. H. Newman

GEBET

O Gott, lehre mich begreifen, daß du mir nahe bist in jedem Augenblick meines Lebens, daß jeder Augenblick mich nahe mit dir verknüpfen kann, wenn ich mich seiner nur bediene. Ich brauche nur alles anzunehmen, was und wie du es schickst. Aber wie oft wehre ich mich dagegen, weil ich meine Vorstellungen und Pläne nicht opfern will. Und doch teilt deine Hand mir alles sorglich zu, wie es gerade für mich am besten ist. Denn du kennst mich bis auf den Grund meines Wesens und verstehst mich besser, als auch der liebste Mensch mich versteht, besser noch, als ich mich selbst verstehe. Darum hilf mir, ich bitte dich, mich darin zu üben, dir immer mehr alles zu überlassen. Amen.

Pierre de Caussade

Erscheinung des Herrn

WORT GOTTES

„Auf, Zion, werde Licht, denn es kommt dein Licht, und die Herrlichkeit des Herrn erstrahlt über dir. Denn siehe, Finsternis bedeckt die Erde und Dunkel die Völker. Doch über dir erstrahlt der Herr, und seine Herrlichkeit erscheint über dir. Völker wandeln in deinem Licht, und Könige pilgern zu deinem strahlenden Glanz. Dann wirst du schauen und strahlen dein Herz wird vor Freude beben und sich weiten." Jes 60, 1. 2. 5

WEGWEISUNG

Die Kirche feiert (heute) nicht nur die Geburt des Kindes. Sie feiert das Kommen Gottes. Dieses Kommen steht noch immer aus, aber die Kirche kann auf ein „inzwischen" geschehenes Kommen blicken. – Die eigentliche „Epiphanie" ist das – noch ausstehende – „Erscheinen der Herrlichkeit unseres großen Gottes und Retters". Das wird „die selige Erfüllung unserer Hoffnung" sein. –

Das ist die Situation des Glaubens in dieser Welt und Zeit, in der er vorläufig die Erlösung zu leben hat zwischen Ankunft und Ankunft, zwischen Kommen und Kommen. – Im ursprünglichen Verständnis ist das Epiphaniefest geradezu das glanzvollste aller Feste. Dieser Glanz geht freilich nicht vom Evangelium aus, sondern von der Lesung aus dem Alten Testament. „Auf Zion, werde Licht, denn es kommt dein Licht."

Hält man Ausschau nach der Erfüllung dieser Vision, mit ihren immer neuen Ausdrücken von Herrlichkeit und Aufscheinen, von Glanz und Erstrahlen, von Aufgang und Lichtwerden – ein Text, von dem J. Burkhardt gesagt hat, er suche seinesgleichen in der Weltliteratur – dann wird man zu einer anderen Vision geleitet, die am Ende des Neuen Testamentes steht:

die Vision des neuen Jerusalem. „Die Stadt braucht weder Sonne noch Mond, die ihr Licht spenden. Denn die Herrlichkeit Gottes erleuchtet sie." Es macht das Eigentliche des Festverständnisses der Kirche aus, daß in ihrer Feier Glanz der beiden Visionen Gegenwart erhält.

Eugen Walter

Das ist eine der Botschaften dieses Tages: das Gesetz der Freiheit. Die Geburtsstunde der menschlichen Freiheit ist die Stunde der Begegnung mit Gott. Da die Männer in dem Stall knieten und anbeteten, da alles hinter ihnen lag: die Heimat, die Wüste, der lockende Stern und die Qual des schweigenden Sterns, der verführerische Palast des Königs und die Herrlichkeit der Stadt – da alles seinen Wert und seine Eindrucksfähigkeit verlor: der arme Stall und die kärgliche Umgebung und die fehlende Macht und der abwesende Glanz der Welt, und das ganze Wesen gesammelt war in diesen *einen* Akt: „Adoro" – und in diese *eine* symbolische Gebärde der Gaben: da wurden und waren Menschen frei.

„Adoro" und „Suscipe" sind die beiden Urworte der menschlichen Freiheit. Das gebeugte Knie und die hingehaltenen leeren Hände sind die beiden Urgebärden des freien Menschen.

Alfred Delp

Wir erwarteten einen Übermenschen,
du gabst uns ein kleines Kind.
Wir erwarteten einen Herrscher,
du gabst uns einen Bruder.
Wir erwarteten einen Rächer,
du gabst uns einen Verfolgten.
Wir waren die Beute des Hasses,
und sieh da: die Liebe.
Wir waren in den Krallen der Angst,
und da nun: die Freude.
Wir waren im Rachen der Macht,
und da: das Licht!
Unsere Weisen sind zu ihm gegangen, mit Schätzen beladen,
aber sie wurden die Beschenkten, die Beglückten.

Unsere Mächtigen sind zu ihm gegangen,
steif aufgereckt von ihrem Stolz,
das Kind machte sie biegsam,
sie bogen das Haupt und die Knie.
Mit allen Menschen, die die Nacht absuchen nach Gerechtigkeit, nach einem Schimmer von Frieden,
mit den Weisen und Gebeugten
begrüßen wir das Unerwartete,
das überraschende Licht,
das Kind.

Aus „Prier"

Die Kirche feiert heute nicht nur die Geburt des Kindes! Sie feiert das Kommen Gottes. Dieses Kommen steht noch immer aus, aber die Kirche kann auf ein „inzwischen" geschehenes Kommen blicken ...

Die eigentliche „Epiphanie" ist das – noch ausstehende – „Erscheinen der Herrlichkeit unseres großen Gottes und Retters". Das wird „die selige Erfüllung unserer Hoffnung" sein.

Das ist die Situation des Glaubens in dieser Welt und Zeit, in der er vorläufig die Erlösung zu leben hat zwischen Ankunft und Ankunft, zwischen Kommen und Kommen. Nicht Weihnachten – als Geburtsfest verstanden – bildet den Höhepunkt dieses Festkreises, sondern jenes Fest, dem der Name Epiphanie von seinem Ursprung her zukommt. Die römische Kirche hat es aus dem griechisch sprechenden und dem Mysterienverständnis ungebrochen nähergebliebenen Osten übernommen. Wo die Ausbildung des Geburtsfestes so ausgesprochen „weihnachtlich" geworden war und alle Gestaltungskraft an sich gezogen hatte, wurde das Epiphaniefest fast in den Schatten gerückt. Im ursprünglichen Verständnis ist es geradezu das glanzvollste aller Feste. Dieser Glanz geht freilich auch wieder nicht vom Evangelium aus, sondern von der Lesung aus dem Alten Testament. Wenn die Magier aus dem Morgenland zu Königen wurden, so hat das einen gewissen Anhaltspunkt an den königlichen Gaben, die sie dem neugeborenen König der Juden bringen – aber auch dies eigentlich nur durch die Verbindung mit der Lesung des Propheten Jesaja:

Auf, Zion, werde Licht, denn es kommt dein Licht.

Hält man Ausschau nach der Erfüllung dieser Vision, dann wird man zu einer anderen Vision geleitet, die am Ende des Neuen Testaments steht: die Vision des neuen Jerusalem.

Die Stadt braucht weder Sonne noch Mond, die ihr Licht spenden.

Denn die Herrlichkeit Gottes erleuchtet sie.

Es macht das Eigentliche des Festverständnisses der Kirche aus, daß in ihrer Feier Glanz der beiden Visionen Gegenwart erhält.

Eugen Walter

GEBET

Seht, ein Stern ist aufgegangen
denen, die in Nacht gefangen.
Zu dem Kinde voll Verlangen
zieh'n von fern die Könige her.

Mit den Hohen und Geringen
woll'n auch wir ihm Gaben bringen,
Gloria voll Freude singen
mit der Engel großem Heer.

Denn er ist zur Welt gekommen
für die Sünder und die Frommen,
hat uns alle angenommen,
uns zum Heil und Gott zur Ehr.

Markus Jenny

QUELLENVERZEICHNIS

C. Carretto, Gib mir deinen Glauben. Gespräche mit Maria von Nazareth. Verlag Herder, Freiburg i. Br. ^{3}1982.

C. Carretto, Worte aus der Wüste. Verlag Herder, Freiburg i. Br. ^{2}1980.

A. Delp, Im Angesicht des Todes. Verlag Josef Knecht, Frankfurt a. M. ^{9}1965.

Ewigkeit, in die Zeit leuchte hell herein. Eine Auswahl aus deutscher geistlicher Dichtung. Herausgegeben von Birgitta zu Münster OSB. Verlag Herder, Freiburg i. Br. 1954.

A. Exeler, Gott, der uns entgegenkommt. Worte zum Advent. Verlag Herder, Freiburg i. Br. ^{2}1980.

Frauen im Gebet. Herausgegeben von U. Marcks und A. Scherer. Verlag Herder, Freiburg i. Br. ^{2}1966.

H. Fries, Hoffnung, die den Menschen heilt. Geistliche Orientierung. Verlag Herder, Freiburg i. Br. 1979.

I. F. Görres, Der karierte Christ. Verlag Josef Knecht, Frankfurt a. M. 1964.

J. Gosselke, Mit Mutter Teresa unterwegs. Verlag Herder, Freiburg i. Br. 1983.

Th. Gunkel, Brot für die ganze Woche. Worte des Glaubens durch das Kirchenjahr. Verlag Herder, Freiburg i. Br. ^{5}1967.

B. Häring, Maria – Urbild des Glaubens. Verlag Herder, Freiburg i. Br. 1980.

K. Hemmerle, Glauben – wie geht das? Verlag Herder, Freiburg i. Br. ^{5}1981.

K. Hemmerle, Aus den Quellen leben. Verlag Herder, Freiburg i. Br. 1981.

Johannes XXIII., Geistliches Tagebuch. Verlag Herder, Freiburg i. Br. ^{11}1966.

Johannes Paul II., Unter deinen Schutz. Mariengebete und Betrachtungen. Verlag Herder, Freiburg i. Br. 1983.

W. Kasper, Gottes Zeit für Menschen. Besinnungen zum Kirchenjahr. Verlag Herder, Freiburg i. Br. ^{2}1980.

G. von Le Fort, Hymnen an die Kirche. München 1930.

J. H. Newman, Worte des Herzens. Herausgegeben von J. Mann. Verlag Herder, Freiburg i. Br. 1981.

H. Nouwen, Feuer, das von innen brennt. Stille und Gebet. Verlag Herder, Freiburg i. Br. ^{4}1983.

H. Nouwen, Ich hörte auf die Stille. Sieben Monate im Trappistenkloster. Verlag Herder, Freiburg i. Br. ^{7}1982.

C. Pirckheimer, Ein „Kron" dem Kindlein von Bethlehem. Aus dem Gebetbuch der Äbtissin C. P. an St. Claren zu Nürnberg (1467–1532). Übertragung aus dem Originaltext von I. Zanner. Nürnberg 1959.

H. Rahner, Worte, die Licht sind. Verlag Herder, Freiburg i. Br. 1981.

K. Rahner, Die Gabe der Weihnacht. Verlag Herder, Freiburg i. Br. ^{3}1981.

K. Rahner, Glaube, der die Erde liebt. Christliche Besinnung im Alltag der Welt. Verlag Herder, Freiburg i. Br. 1966.

K. Rahner, Gott ist Mensch geworden. Meditationen. Verlag Herder, Freiburg i. Br. ^{7}1982.

K. Rahner, Kleines Kirchenjahr. Ein Gang durch den Festkreis. (Herderbücherei, Band 901) Verlag Herder, Freiburg i. Br. 1981.

K. Rahner, Was sollen wir jetzt tun? Vier Meditationen. Verlag Herder, Freiburg i. Br. [3]1974.

J. Kard. Ratzinger, Licht, das uns leuchtet. Besinnungen zu Advent und Weihnachten. Verlag Herder, Freiburg i. Br. [7]1982.

J. Kard. Ratzinger/H. Schlier, Lob der Weihnacht. Verlag Herder, Freiburg i. Br. 1982.

F. Roger, Einer Liebe Staunen. Tagebuchaufzeichnungen. (Herderbücherei, Band 614) Verlag Herder, Freiburg i. Br. [2]1981.

H. Rusche, Unter Gottes Angesicht. Einübung in biblische Grundhaltungen. Düsseldorf 1966.

Franz von Sales, Weg zu Gott. Gesammelte Texte über das religiöse Leben. Herausgegeben von O. Karrer. München 1922.

G. u. Th. Sartory, Wenn Himmel und Erde sich begegnen. Feste und Zeiten im Kirchenjahr. Verlag Herder, Freiburg i. Br. 1979.

A. Schilson, Gott kommt als Kind. Verlag Herder, Freiburg i. Br. [2]1978.

H. Schlier, Er ist dein Licht. Besinnungen. Verlag Herder, Freiburg i. Br. [2]1978.

H. Schlier, Der Herr ist nahe. Adventsbetrachtungen. Verlag Herder, Freiburg i. Br. [5]1977.

R. Schnackenburg, Deutet die Zeichen der Zeit. Meditationen zum Advent. Verlag Herder, Freiburg i. Br. [3]1979.

Teresa von Avila, „Ich bin ein Weib – und obendrein kein gutes". Herausgegeben von E. Lorenz. (Herderbücherei, Band 920) Verlag Herder, Freiburg i. Br. [2]1982.

Theresia von Avila, Worte der Freundschaft, Herausgegeben von M. Otto. Verlag Herder, Freiburg i. Br. [3]1979.

K. Tilmann, Weg in die Mitte. (Herderbücherei, Band 906) Verlag Herder, Freiburg i. Br. 1982.

A. Vögtle, Was Weihnachten bedeutet. Meditation zu Lukas 2, 1–20. Verlag Herder, Freiburg i. Br. [5]1981.

E. Walter, Der größere Advent. Verlag Herder, Freiburg i. Br. [2]1978.

E. Weiler, Als Christ auf dem Weg. Predigten und Gebete. Selbstverlag, Hinterzarten 1982.

B. Welte, Maria, die Mutter Jesu. Meditationen. Verlag Herder, Freiburg i. Br. [5]1980.

B. Welte, Vom Geist des Christentums. Verlag Josef Knecht. Frankfurt a. M. [2]1966.

E. Zenger/F. J. Ortkemper, Gepredigte Bibel. Würzburg 1971.

Von Alice Scherer herausgegebene Werke, erschienen im Verlag Herder

Frauen im Gebet (zusammen mit Ulrike Marcks). 1966 (vergriffen).

Alfred Delp, Worte der Hoffnung.
7. Aufl. 1982, Bestell-Nr. 17072

Pierre Tielhard de Chardin, Worte des Glaubens.
4. Aufl. 1981, Bestell-Nr. 17557.

Erhelltes Leben. Ein besinnliches Lesebuch.
2. Aufl. 1981, Bestell-Nr. 17937.

Josef Gülden, Wovon wir Menschen leben.
Ein Besinnungsbuch.
1982, Bestell-Nr. 19551.

Ostern entgegengehen.
Geistlicher Begleiter für jeden Tag der Fastenzeit.
2. Aufl. 1983, Bestell-Nr. 19508.

Verlag Herder Freiburg · Basel · Wien